JN061852

学生相談の広がりと深まり

吉良 安之
高松 里
編著

はじめに

吉良安之先生は、2021年３月をもって九州大学を定年退職されます。30年間、学生相談および臨床教育に携わってこられました。

本書を手に取ってくださっている方々は、吉良先生を直接ご存じの方が多いと思われます。全国の学生相談関係の方々やフォーカシング関連の方々、吉良先生に学んだお弟子さんたちも読まれていることでしょう。

本来ならば、盛大な記念講演会を開き、祝賀会が行われるはずでした。しかし、ご存じのように新型コロナ感染が広がったために、講演会は遠隔開催になってしまい、先生と直接お話をする機会が失われてしまいました。

それならばせめて著書という形で、吉良先生が今考えていることを書いていただき、その他にも多くの執筆者によって、これからの学生相談の展開についてまとめようということになりました。単に記念出版というだけではなく、この本を読む多くの方々が学生相談について関心を深めたり、何か新しいアイディアを思いついていただけたら嬉しく思います。

第１部を読むと、吉良先生のお人柄がよくわかると思います。これまでの研究や実践、その中での楽しみ、フォーカシングとの出会い、これからの生き方、などが書かれています。吉良先生も色々と進路で苦労されたんだなあとか、胸にはカラータイマーがあって色々と教えてくれていたんだなあとか、知らないことがたくさんあると思います。

第２部は、九州大学キャンパスライフ・健康支援センターの常勤カウンセラー全員が、学生相談に関する新しい試みについて書いています。学生と言っても最近は年齢層が広がっていて青年期とは限りませんし、相談内容は何でもアリです。ただ、「大学キャンパス」が舞台であることがこの領域を特徴付けています。大学というのは不思議な空間です。自由であることが最大の特徴ですが、そこには「孤独」「不確実性」「不安」というものが常につきまとっています。人生が開かれていく大きな可能性があると同時に、何も見つからずに立ち止まってしまうこともありえます。勉学や研究、海外留学、友人関係、などを支える土台としてのキャンパスをどう豊かなものにしていくのかが学生相談の醍醐味と言えます。ここには、そういう実践が書かれています。

また、本書第３部ですが、これは2020年に初めてオンラインで開かれた学生相談学会におけるパネルディスカッションの内容を紹介するものです。この大会は、吉良先生が大会長になり、福盛先生が事務局長であり、我々すべてのカウンセラーが裏方で関わりました。この時は、パネラーの方がオンラインで直接話す形ではなく、あらかじめ用意された原稿に対して、モデレーター（司会役）の吉良先生が書き込み、それにまたパネラーが答えるという形式でディスカッションが行われました。

第４部は、2020年12月に行われた、常勤カウンセラー（第２部執筆者）全員による座談会の模様を収録しました。我々がなぜ学生相談という領域を選んだのかとか、その特徴や楽しみなどについて語っています。カウンセラーがチームとして活動している学生相談室の今の雰囲気を感じてもらえたらと思います。

本書がこれからの学生相談の発展に寄与することを願っています。また、退職後の吉良先生のますますのご活躍をお祈りします。

高松　　里

九州大学留学生センター

（吉良先生の２年後輩）

Contents

第1部

学生相談カウンセラーとしての道のり

第１章

私のこれまでの実践研究の歩みを振り返る

吉良　安之

私はこれまで、心理臨床の実践とそれにもとづいた研究を軸にして職業生活の40年間を過ごしてきた。しかし気がつくと、それにいったん区切りをつける日が近づいてきている。今から半年後の2021年３月には、現在の職場を退職することになる。この節目に向けて、これまで自分が論文などに書いてきたことや論じてきたことを見返しながら、自分にとってどんな40年だったのかを振り返ることにしたい。

１．心理臨床の基礎を学ぶ

（1）低空飛行のなかでのフォーカシングとの出会い

私が九州大学大学院教育学研究科（当時）に入学して心理臨床を学び始めたのは、1980年のことであった。しかしその学びはなかなかうまくいかず、自信を持てない低空飛行の期間が長く続いた。自分なりの対話心理療法のスタイルを身につけるには、相当の年数がかかったように記憶している。来談した人にとって役に立つ面接、意味のある面接とはどんなものなのかが見通せず、前田重治先生のもとでの事例検討会での指導やコメント、そしてスーパービジョンを受けながら煩悶する日々が続いた。

面接を終えた後にやりとりをなるべく細かく思い出して記録をとりながら、クライエントがこう言ったとき、あの表情を見せたときにどんな言葉を返したらよかったのだろうかと、一人で考える日々だった。心理面接を継続することでクライエントにどのような変化が生じているのか、流れを実感として掴めている気がしないため、事例を論文にまとめることができなかった。いつか事例論文を書けるようになりたい、というのが当時の願いだった。

そのような時期に村山正治先生の授業でフォーカシングを学んだ。その授業では、大学院生同士でペアを作って実習を行っていた。このフォーカシング実習の経験が、心理療法での話の聴き方、クライエントへの向き合い方のモデルとしてとても役立った。私にはその感じ方、聴き方が合っていたのだろうと思う。クライエントが語る言葉や態度、ふるまいに接しながら、その人が思いとして暗に抱いていること（本人が自覚しているものも、していないものも含めて）を感じとり、その思いに向けてこちらの言葉を返していくようなやりとりである。そのような態度で対話を行なっていると、クライエントは自分が抱えているものに次第に近づき、それを言葉にしていくように思った。そのため、私は事例論文よりも前に、フォーカシング関係の論文を書くことになった（吉良, 1983；1984）。

（2）ようやく自分の臨床スタイルが見えてきた

このような、自分にとっての軸となるものを見つけられたことと、もう一方ではさまざまな事例での経験が蓄積されたことが相まって、自分の臨床スタイルが次第に固まっていったのだろうと思う。心理臨床を学び始めて５～６年経ってようやく、この方向でやっていけそうだと思えるようになった。その頃、前田先生からお話をいただき、先生が編集された書籍『カウンセリング入門』中に自分の考える心理臨床の学習の仕方を文章にまとめることができた（吉良, 1986）ことは、私にとってとても大きかった。

そこで言おうとしたことを現在の自分の言葉で簡単に述べると、以下のようになる。心理臨床の学びはパーツごとに分けてそれらを個別に身につけていくような学習スタイルではないため、はじめはよく分からないまま、スーパービジョンや指導を受けつつ臨床経験を重ねていく。しかしそれが蓄積されてくると、それぞれの事例で経験し学んだことがどこかの時点で焦点を結び、部分部分ではなくひとまとまりのものとして全体像が見えてくる。そのような学習スタイルである。それは当事者にとっては、暗いトンネルの中を走っていたのが急にトンネルを抜けるように感じられるものである。目の前が開けてきてはじめて、心理臨床の学びとはこういうものなのだなあと気づく。このことは、私にとってはけっこう大きな発見であった。

この文章を書いている現在、そこから連想して後輩に伝えたいことが浮かんできている。私の歩みからは少し逸れるが、語らせていただきたい。心理臨床の実践で身につけるべき諸技能はどのように成り立っているのか、ということについてである。

対話による心理療法には、面接を進める上での手順として踏むべきこととか大事にすべきこと、気をつけた方がよいことなどがいろいろとある。先輩の臨床家の人たちの経験の蓄積から生まれた知見もあれば、それぞれの臨床家が自分なりに身につけたものもある。その中には、どのような事例にもほぼ当てはまるもの（a)、あるタイプの事例や面接のある局面で留意すべきもの（b)、そして目の前のこの事例において重視すべきもの（c）がある。(a）の例としてはクライエントの話を丁寧に傾聴することや、見立てをしっかり行うことなど、(b）としてはこのクライエントの心理療法は医師による治療と並行してでなければ実施すべきでないとか、このクライエントとは面接の目標や進め方についてなるべく頻繁に話題にして話し合いながら進めていく必要がある、などが挙げられるであろう。(c）に相当するのは特定事例にかかわるものだが、例えばこのクライエントから向けられる依存的ふるまいは背後に不信が隠れているので注意が必要、とかである。

このように分類するだけならそれほど複雑ではないのだが、実はややこしいことがある。あるケースで重視されることであっても、別のケースではその正反対が重要だったりするのである。いくつか例を挙げよう。例えばクライエントからプレゼントが差し出されたときにどう応じるかである。丁重にお礼は伝えるがいただくのは断るのが正解という場合もあれば、喜んで受け取るべきときもある。プレゼントを受け取るかどうかよりもどういう気持ちからそれを用意したのかをクライエントと話し合うことが重要な場合もある。別の例だが、一人のクライエントに複数の臨床家が対応するのは（各人で方針や重視することが異なる可能性があるので）通常は避けるべきことであるが、このケースは複数で対応してみようということもある。面接室以外でクライエントと会わないことは心理療法の大原則だが、特別な場合や緊急の場合にそう言っていてはタイミングを逃したり手遅れになることもある。クライエントの親から突然電話があったときにどうするか、面接構造の遵守をどこまで重視するかなども状況によって異なる。つまり一言で言うと、臨機応変であることが求められるのである。それぞれの場面でどう応じるかを自分で考えて判断できるようになることが、臨床家としての成長と言えるだろう。そのためには、それなりの量の経験と学習が必要である。

さて、話を戻そう。前述のような時期を経て、私は事例論文を書いたり学会での事例発表を行うことができるようになった（吉良, 1987；1988a；1988b)。面接によるクライエントの変化を流れとして掴み、それを論じることがようやくできるようになったと言えるだろう。この時期、大学院の５年間を終わって研究生などをしながら、日々心理臨床の実践に明け暮れていた。そして1989年４月、琉球大学医学部に助手としての職を得た。そこに勤めてからの医療機関での臨床経験も、だいぶ後年になってからであるが事例研究論文としてまとめる機会を持つことができた（吉良・古謝・高江洲, 1995)。

２．学生相談の職につき多方面の研究に従事する

琉球大学での２年間の勤務を経て、私は1991年４月に九州大学教養部に助教授として採用され、教養部カウンセリング・ルームで学生相談の仕事を行うことになった。そしてそれ以来、学生生活・修学相談室、学生相談室というように組織や名称は変わりながらであるが、九州大学において30年にわたって学生相談の仕事を続けてきた。まず、その仕事に就いて最初の10年間ほどの研究や論考をまとめよう。大きく分けて４つに分けられるように思う。

（１）学生の抱える心理的課題や悩みに関する研究

１つは、学生全般（私の所属が入学して間もない学生たちが学ぶ部局である教養部だったので、特に学部１～２年次学生）やカウンセリングに来談した学生を対象にして行った、学生の抱える心理的課題や悩みに関する調査研究や論考である。私の仕事にはカウンセリング・ルームでの個別面接に加えて、教養部でのカウンセラー独自の科目「人間関係の科学」などの授業担当もあった。一般学生を対象にした調査研究は、主にこれらの授業で学生に自

身を振り返るために書いてもらった内容をまとめたものが多い（吉良, 1993a；1995a；2000）。私はそれら学生自身の文章を通じて、１～２年次学生が大学生活のなかでどのような出来事を経験し、それをどのように感じたり意味づけたりしているのかを知ることができた。

彼らが入学後に経験する苦労や悩みとしては、親元を離れて一人暮らしを始めての大変さ、自分の性格や人間関係（友人作り、異性との接し方など）についての悩み、学業面での戸惑いや困惑、将来の進路に関する不安や迷いなどが挙げられていた。これらの文章を読みながら、私は学生生活を成り立たせるものとして３つのレベルを考えた（吉良, 1993a）。いちばん土台にあるのは「日常生活のレベル」（衣食住など、日常を営むうえで不可欠な生活上の水準）であり、それを前提にして「対人関係のレベル」（安定した生活を営むうえで心理的社会的に必要な人間関係の水準）が営まれる。そしてそれらを基にして行われるのが「活動遂行のレベル」（学業・社会活動など、さまざまな意味で成長に資する、達成すべき活動の水準）である。これら３つのレベルのうちの下の層が上の層を支えている。学生が「学業がうまくいかない」という悩みで来談した場合、その学生の日常生活のレベルや対人関係のレベルを確認し、それらが損なわれていないかどうかを話し合うことが重要になると言えるであろう。

またカウンセリングの３事例の面接経過をまとめて学生期前半の心理的課題と考えられるものを論じた（吉良, 1993b）。不本意入学によって生じた挫折感・自信喪失感がテーマになった事例、勉学の自分にとっての意味を吟味していった事例、友人関係を契機に自身のあり方を問い直した事例である。当時はこれらのような内容の相談が代表的であった。後年には同僚のカウンセラーの先生方とともに、それぞれが３年間に担当した全ケースについて評定を行ってその結果をまとめ、学生期の各時期の課題を検討するような作業（吉良・田中・福留, 2007）を行った。大学生活の各時期にどんな悩みや課題を抱えて学生がカウンセリングを利用するのかを検討したのである。

（2）学生相談という心理臨床実践のかたちの検討

２つ目は学生相談についての論考である（吉良, 1994a；1996a；1998a）。学生相談は心理臨床の実践のかたちの一つであるが、かなり独自の特徴を持っている。私はこの職に就いて、学生相談とは何なのか、どんな視点や姿勢を持ってこの仕事に従事すべきなのかを考える必要があったのである。

学生相談については章を改めて別稿で論じるので、ここでは概略だけ述べることにするが、私が特徴として言語化したのは、それが高等教育機関の内側での心理臨床の場だということである。学生相談は教育組織に必要な機能の一部として教育組織を支えると同時に、カウンセリング自体が広い意味での教育（個別的な教育）の役割を担っていると言うことができる。このことは学生相談の近未来像をどのように描くかということにもつながるものであったため、全国の諸大学の学生相談カウンセラーの先生方との交流や議論の機会を数多くいただくことにもなった。その頃に学会のシンポジウム等で意見交換を行った先輩諸氏を挙げると、岩村聡、苫米地憲昭、窪内節子、鶴田和美、吉武清實、齋藤憲司、高石恭子、杉江征（敬称略）といった先生方のお名前が思い浮かぶ。

（３）宗教的面接のカウンセリング機能の研究

３つ目は民間巫者の行う宗教的面接のカウンセリング機能に関する研究である（吉良, 1996b）。土着の文化の中で民間巫者によって行われてきた宗教的面接は、その地域のなかで、臨床心理学にもとづいたカウンセリングと何らかの意味で共通する機能を担っているのではないかと考えて始めた研究であった。これは平成６～７年度の科学研究費を受けて、宗教社会学を専門とする研究者の方々と共同で行われ、主に沖縄地域でユタと呼ばれている民間巫者に関する調査を行った。私はこの調査を通じて、自分の行っているカウンセリングという営みについての考えを一歩深めることができたように感じている。

このときの調査によってまずわかったのは、宗教的面接においてはラポール形成の手続きが独特だということである。臨床心理学にもとづくカウンセリングではクライエントの感情体験を受容共感することによって次第にラポールが形成されていくと考えられているのに対して、宗教的面接ではクライエントに関連した事柄をユタが超自然的な方法で「当てる」ことが特徴的である。当てられたことにインパクトを受けて、クライエントは自らの主体性をある程度放棄して超自然的な世界観に引き込まれ、かなり依存的な様相のラポールが瞬時に形成される。このような文化背景を持たない外部の人が宗教的面接に接した場合、ユタのこの超自然的な「当てる」能力に魅了されたり怖れを抱いたりすることがあるようである。

しかし私はそのことよりも、彼女らが巫者になっていく過程（カミダーリと呼ばれる巫病）に惹かれた。カミダーリの過程を簡略に記述すると、まず本人に心身異常や不幸な出来事が生じ、それとともに神・先祖などの超自然的存在から何らかのかたちで巫業を行うことを促される（ないしは命じられる)。しかし多くの場合はそれに従うことを回避しようとする。神・先祖に対して延期願いを出すこともある。しかし執拗な催促が続き、結局は巫業を行うことになる。それとともに、「当てる」などの特別な能力が身につき、心身の不調からは回復するそうである。このことを知って、私は２つの点で自分たちの行っているカウンセリングの仕事と結びつけて考えることがあった。

１つは、癒す者と癒される者との両極性についてである。巫者になっていく過程では、その人は深刻な病ないし精神的危機を通過する。その後に癒す側にまわるのである。ユング派の臨床家であるグッゲンビュール＝クレイグは著書『心理療法の光と影』の中で「治療者－患者」元型について述べ、元型は両極へと分裂しやすいこと、つまり全き癒す人と全き癒される人とに分裂し、癒す人が万能的存在になってしまいがちであること、しかしそうなるのではなく両極に分裂した元型を結び合わせ、元型の対極性を体験することに耐える姿勢が必要になると論じている。ユタの人たちはまさに身をもってそれを生きている。病を通過してはじめて癒す力を獲得するのである。私たち心理臨床家の内面にも、病を抱えた患者としての心性が存在する。それを折に触れて感じとり、それに向き合う姿勢が重要であるだろう。

もう１つは、超自然的存在からの招命ということについてである。私たちは職業選択を主体的能動的に行うことがアイデンティティ確立の表われと捉える考え方に慣れている。しかし果たしてそのように単純なことだろうか。職業の選択、ひいては生き方の選択は、誰か（何か）によって招かれたり、促されたり、命じられたりするものでもあるのではないか。特に心理療法ないしカウンセリングという仕事は、何かに促されて引き寄せられた者が請け負っている面があるように感じる。「アイデンティティ＝主体性・能動性」という概念化は底の浅いもののように思える。ユタの方たちの話を伺いながら、私はそのような感覚を抱いた。

（4）フォーカシングの実践にもとづいた主体感覚の研究

４つ目は学生相談等の事例を素材にした体験過程療法（近年はフォーカシング指向心理療法と呼ばれている）の研究である。これは、私にとって心理臨床を学び始めた頃からの軸であるフォーカシングについて、自分なりの方向でその考え方を活かし、臨床実践を進めていこうとする試みであった。

私がフォーカシングを学んだ初めの頃は、暗に感じられているもの、つまり、それが何なのかはよくわからないが感覚的にははっきりと感じられているフェルトセンスに直接焦点を合わせて（直接のレファランス）いると、フェルトシフトと呼ばれる身体的解放感を伴った認知的転回（「ああ、そうだったのか」とか「うん、わかった」というような身体的実感を伴った認知的変化の体験）が生じる、というプロセスが重視される傾向があった。しかしフォーカシングの技法の第１のステップとして付け加えられたClearing a Spaceでは、自身のさまざまな内的体験をふり返り、どのような問題が自分の内面に緊張をもたらしているか、ひとつずつ確認し置いておく作業が行われる。Gendlinはそれを、問題からの手ごろな距離を見出し、内面に心地よい感じをもたらすものであると述べている。私はこのClearing a Spaceによって問題から分離した主体の感覚が賦活されることが重要であると考えた（吉良, 1992）。

心の問題が問題であることのゆえんは、問題に対する主体の関わり方にあると言える。ある体験領域がクライエントにとって困難な問題と感じられるのは、それに対処できず手に負えないと感じられたり、それを自分ではコントロールできずやっかいに感じられたり、それが広範囲に広がって頭から離れなくなったりしたときである。そのようなときには問題に向き合って対処する主体の感覚が希薄になっている。Clearing a Spaceによって問題からの適切な体験的距離を生み出す作業は、主体感覚を取り戻す行為であると言うことができる。この発想には、単なる特定の技法論に留まらない、対話心理療法全般にとって重要な知見が含まれていると考えられる。傾聴の作業、問題へのセラピストの関わり方、そしてクライエントとセラピストの関係のあり方をClearing a Spaceの視点から捉え直すことが有益である。

このような考えを基にして、私はその後の一連の研究活動を進めていった

(吉良, 1994b；1994c；1995b；1997；1998b；1998c)。Clearing a Space はフォーカシングを身につけるための技法の第１ステップを指す用語として知られているが、私は技法を論じているわけではないため、Clearing a Space の研究ということではなく、主体感覚とは何なのか、それが賦活化されることにどのような意味があるのか、どのようにして主体感覚を賦活化するのかについて検討していった。検討のための臨床素材として、主に学生相談で担当した事例を使わせてもらった。そしてそれを博士論文にまとめ、さらにそれに加筆修正を加えたものを書籍として発刊することができた（吉良, 2002a)。

以上のような多方面にわたっての慌ただしい実践研究活動は、40代半ばまでの10年間に行われたものであった。学生相談の業務を行いながら、それをもとにあれこれと考える日々を過ごした時期であった。

3．フォーカシングに関する独自の方法や概念化を展開する

（1）セラピスト・フォーカシングの考案

続いてその後に私がどのような方向に進んでいったのかを述べていきたい。次の研究活動の大きな柱になったのは、セラピスト・フォーカシングという方法の開発であった。その実践例を蓄積して検討することで、この方法についての理解を深めていった。主体感覚についての研究のなかで、主体感覚が希薄になったクライエントと心理面接を行っているとセラピストの主体感覚も損なわれ希薄化しがちである、ということに気づいていた。そのような状況では、セラピストがそのことに気づき、自分自身の体験の主体感覚を賦活化する必要がある。そのための方法として、フォーカシングの技法が役立ちそうだと考えて考案したのが、セラピスト・フォーカシングであった。

私は若い頃から、複数のステップから成るフォーカシング技法を体験してきたが、それをそのまま心理臨床の場でクライエントに対して適用することはほとんど全くなかった。そうではなく、自身のセラピストとしての感じ方、体験の仕方、クライエントとのやりとりの仕方として、技法以前のフォーカシングを活かしてきていた。しかし、せっかく技法でもあるのにそれを活かさないのは少しもったいない、という気持ちもあった。そのため、「フォーカシングの技法はクライエントではなく、セラピスト自身が利用することで心

理臨床に役立ちそうだ！」というアイデアは私にはとても嬉しく感じられた。そして事実、セラピスト・フォーカシングは多くのセラピストが行き詰まりを感じているときに、自分自身の体験を振り返って整理するのに役立つし、丁寧に自分の体験を感じているとそれがクライエント理解にもつながることを発見した。

そこで、複数の実践例をもとにこの方法について論じた論文をまとめ（吉良, 2002b）、かつ、この方法のセッションを行ったセラピストの方々と共著で逐語的な記録を報告していった（吉良・大桐, 2002；吉良・兒山, 2006；吉良・白石, 2009）。いくつかの書籍の中にもこの方法についての論考を掲載させていただいた（吉良, 2002c；吉良, 2003；吉良, 2005；Kira,Y. & Fukumori, H., 2015）。また、さまざまな研修会や学会ワークショップで講師を担当する機会もいただいた。そして、これらを通じて私の考えがかなりまとまってきたように思えた時期に、この方法をテーマにした書籍を上梓した（吉良, 2010）。

なお、後年には、池見陽先生の紹介により中国の上海でこの方法のワークショップを行った。そのご縁で懇意になった李明先生がこの本を翻訳してくださり、中国語版が2019年に刊行されたのも大変嬉しいことだった。また、これらの研究や議論を通じて、高橋寛子、村里忠之、伊藤研一、平野智子（敬称略）といった先生方と親しくさせていただくようになったことにも感謝したい。

（2）協同－探索的フォーカシングの考えの提示

このセラピスト・フォーカシングの実践研究と並んで、私にとって重要な概念化となったのは、“協同－探索的フォーカシング”の考えを提示したことである（吉良, 2009a）。これはフォーカシング指向心理療法の文脈での研究である。心理療法の過程において、セラピストの傾聴や促しによってクライエント個人にフォーカシングという内的作業が生じるという発想から離れて、クライエントとセラピストの合作によってフォーカシングの作業が進んでいくという捉え方が有益であることを論じたものである。

悩みを抱え混乱した状態で来談するクライエントは、その個人にとってのそれまでの意味の体系が破綻して暗々裡の意味の諸断片が無秩序にあふれ出しているような状態になっている。そのとき、クライエントにはまだフェルトセンスは形成されていない。セラピストはそのようなクライエントの体験世界を傾聴することで、自身の内面にひとまとまりの意味を孕んだフェルトセンスを形成していく。そしてそれをはじめは態度やふるまいでクライエントと共有し、次第にクライエントとの合作でそれを言葉にしていく。そのような対話の作業を通じてクライエントの内面にもフェルトセンスが形成され、クライエントは自分が感じていることを言葉で言い表すことができるようになる。つまり、両者が協同して探索していくようなフォーカシングである。この論考では、ある学生相談の事例をかなり詳しく取り上げながらそのプロセスを論じた。

私はフォーカシングの考え方を基盤に据えた心理療法をそのようなものと考えている。その後に私がまとめた論考（吉良, 2016a）においても、セラピストとクライエントが協同作業を行いながら、かつ、セラピストがクライエントの内面にあるものをやや先取りして感じとり、それをクライエントと共有することでクライエントの体験のプロセスが進展することを論じている。

4．心理臨床家としての人生後半の課題に向き合う

さて、このような臨床実践に基づく研究活動を継続していた一方で、私には加齢に伴う個人的な危機が訪れていた。心理臨床の仕事を継続するにはかなりのエネルギーが必要である。来談した人の個性や状況、問題の所在や様相を感じとりながら、それに応じて対応するような柔軟性が求められるからである。職場での経験年数が長くなると、業務上の運営や管理の仕事も増えてくる。私は心理臨床の仕事で生計を立てることが自分にとって重要と考えて職業選択を行ってきたのではあるが、それが長年になると、しだいに消耗感、疲弊感を色濃く感じるようになった。不愉快な重さ、けだるさ、混濁感といったようなフェルトセンスであった。果たして質を落とさずに現在の量の仕事を継続していけるものかどうか、迷いを感じながら煩悶することが続いた。

セラピスト・フォーカシングという方法は私にとって、ある意味では、このような消耗感とそれまでのフォーカシング体験とが交差（crossing）を起こしたところで発生したアイデアであったように思う。交差という言葉はGendlin の用語である。私なりに理解すると、もともと無関係で共通点や関連性が想定されていなかった２つの要素が互いに響き合うことで、何か新しいものが創造されることを指している。行き詰まり感を抱えながら臨床実践を行うなかで、私は自分の内面に生じているフェルトセンスを確かめつつ、それに向き合っていた。と言うか、自然発生的にそうなっていたように思う。この内的作業がまさにセラピスト・フォーカシングであった。

そのような体験のプロセスを歩んでいるなかで、たまたまであるが、私は日本臨床心理士会の研修委員会のメンバーであったため、この委員会の主催で行われた第２回ベテラン臨床心理士のための研修会にて「臨床心理士の生涯発達を考える」というテーマで発言する機会があった（吉良, 2009b）。この発言では、セラピストの人生後半の課題として、運営や管理の仕事の増大に伴う忙しさ、加齢による気力や体力の衰え、自身のステータスが確立したことでの心の緩みを挙げ、下手をすると自分の後ろにも前にも道を見失い立ち往生しかねないことを述べた。そして、セラピスト人生後半を生きるための手掛かりとして、事例の経過や臨床的問題を俯瞰的に眺める視点（鳥の目＝論文執筆やスーパーバイザーとしての目線）と視界不良のなかで探索的に関わる視点（アリの目＝臨床実践の最中の目線）の往復運動を確保することが大切だと思うと論じた。つまり、鳥の目線の仕事が増える一方でアリの目線を失うことの危うさである。これはまさに、自身のフェルトセンスを明示的（explicit）にしたものであった。その翌年に上梓したセラピスト・フォーカシングの書籍（吉良, 2010）の第12章は、このときの発言を踏まえて記したものである。

５．近年の仕事と今後やっていきたいこと

さて、2010年を過ぎてから現在までの10年間は、新しいアイデアを生み出す作業が減り、しだいに落穂拾いのようになっていったように思う。ただし、後輩に向けて私が心理臨床の土台と考えるものを伝えるつもりで書いた書籍（吉良, 2015）の作成には、熱が入った。心理臨床の仕事をしながら自分が折々に考えたり思ったりしたことの中には、論文にはなりにくいものがある。心得とか工夫といったようなものである。この書籍にはそのようなものも含め

て、書き込む機会を得た。その他、改めて学生相談の事例研究論文をまとめたり（吉良, 2016b）、科研費を得て学生相談仲間の先生方と共同で全国の学生相談機関における発達障害学生への支援の現状に関する調査研究を行ったりした（吉良・高石・内野他, 2018；吉良, 2019）。

今後、私は量は減らしても心理臨床の仕事は続けていきたいと思う。かつ、それに加えて、臨床現場に勤め始めて間もない人たちに学習機会を提供したり、スーパービジョンを行ったりする時間を増やしたい。私たちの頃とは違って、現代ではほんの数年の臨床経験のみで心理臨床教育が終わって現場に出る人が増えている。本来、心理臨床の学びは、相当な年数をかけて行うものである。私自身のかなり長かった学びの過程の経験と比較すると、めまいを覚えるようなスピードである。と言うことは、現代の学びの制度においては、臨床現場に出てからの５～10年が重要になるのではないだろうか。私はその時期の学びの機会を後輩に提供できたら、と考えている。

●文　献

吉良安之（1983）フォーカシングの臨床的適用に関する研究――エッセンス・モデルの作成と事例の検討．九州大学心理臨床研究，２，57-66.

吉良安之（1984）体験過程の推進を促進する働きかけ――フォーカシング技法からみたエンパシーに関する考察．心理臨床学研究，２(1)，14-24.

吉良安之（1986）第14章 心理臨床の学習の仕方．前田重治（編）『カウンセリング入門』．有斐閣，264-276.

吉良安之（1987）親を気づかう少年のケース――アトピー性皮膚炎をもつ不登校事例．九州大学心理臨床研究，６，15-23.

吉良安之（1988a）分離の痛みに耐えかねている少女の事例――非行傾向の女子中学生．九州大学心理臨床研究，７，53-60.

吉良安之（1988b）自分の気持ちを感じとりにくい女子の事例――不登校の女子高校生――．日本心理臨床学会第７回大会，東京（東京都立大学）.

吉良安之（1992）心理療法における Clearing a Space の意義．九州大学教養部カウンセリング学科論集，６，47-65.

吉良安之（1993a）大学入学後の心理的混乱の諸側面――講義における大学１年次生の体験報告から．九州大学教養部カウンセリング・リポート，５，50-61.

吉良安之（1993b）カウンセリングの窓口からみた学生期前半の心理的課題の諸相．九州大学教養部カウンセリング学科論集，７，49-60.
吉良安之（1994a）大学カウンセラーの立場から来談の自発性について考える（特集「これからの学生相談像を考える」）．九州大学教養部カウンセリング学科論集，８，14-22．1994.3.
吉良安之（1994b）構造拘束的な体験様式へのアプローチ ── Clearing a Space の観点から．九州大学教養部カウンセリング学科論集，８，61-78.
吉良安之（1994c）自責的なクライエントに笑いを生み出すことの意義 ── クリアリング・ア・スペースの観点から．心理臨床学研究，11(3)，201-211.
吉良安之（1995a）学生は大学入学後の自分自身をどのように評価しているか．九州大学六本松地区カウンセリング・リポート，７，52-62.
吉良安之（1995b）主体感覚の賦活を目指したカウンセリング．カウンセリング学論集，９，39-53.
吉良安之（1996a）大学教育において学生相談の果たすべき役割．九州大学六本松地区カウンセリング・リポート，８，31-37.
吉良安之（1996b）『民間巫者のカウンセリング機能の研究 ── 沖縄と東北の民間巫者を主要対象として』．平成６年度〜７年度文部省科学研究費補助金（総合研究Ａ）研究成果報告書（研究課題番号06301014）.
吉良安之（1997）カウンセリングにおける人間関係を通じての主体感覚の賦活．心理臨床学研究，15(2)，121-131.
吉良安之（1998a）『大学教育における新しい学生相談像の形成に関する研究』．平成９年度文部省科学研究費補助金 基盤研究（Ｃ）（1）（企画調査分）研究成果報告書（研究課題番号09891002）.
吉良安之（1998b）身体感覚を通じて体験に変化を生み出すアプローチ．カウンセリング学論集，12，1-12.
吉良安之（1998c）主体感覚に焦点をあてたカウンセリング論に関する一研究．健康科学，20，77-84.
吉良安之（2000）大学１年次における心理的混乱の諸側面（第２報）── 2000年度入学生の体験報告．学生相談（九州大学学生生活・修学相談室紀要），２，5-14.
吉良安之（2002a）『主体感覚とその賦活化 ── 体験過程療法からの出発と展開』．九州大学出版会.
吉良安之（2002b）フォーカシングを用いたセラピスト自身の体験の吟味 ──「セラピストフォーカシング法」の検討．心理臨床学研究，20(2)，97-107.
吉良安之（2002c）主体感覚論からセラピストフォーカシングへ．村山正治（編）『クライエント中心療法と体験過程療法』．ナカニシヤ出版．13章，202-214.
吉良安之（2003）対人援助職を援助する ── セラピストフォーカシング．村山正治・

藤中隆久（編）『現代のエスプリ別冊　ロジャース学派の現在』．至文堂．184-192.
吉良安之（2005）セラピスト・フォーカシング．伊藤義美（編）『フォーカシングの展開』．ナカニシヤ出版．４章　49-61.
吉良安之（2009a）日々の臨床実践の土台としてのフォーカシング．諸富祥彦（編著）『フォーカシングの原点と臨床的展開』．岩崎学術出版社．189-228.
吉良安之（2009b）臨床心理士の生涯発達を考える．第２回ベテラン臨床心理士のための研修会（日本臨床心理士会研修委員会主催）．2009.3.1．鬼怒川温泉あさや（栃木）．
吉良安之（2010）『セラピスト・フォーカシング――臨床体験を吟味し心理療法に活かす』．岩崎学術出版社．（中国語訳『助人者的自我疗愈』．李明訳，2019，上海社会科学院出版社．）
吉良安之（2015）『カウンセリング実践の土台づくり――学び始めた人に伝えたい心得・勘どころ・工夫』．岩崎学術出版社．
吉良安之（2016a）発想の源流：クライエントとともに過ごす場から学ぶ．人間性心理学研究，33(2)，179-184．2016
吉良安之（2016b）長期にカウンセリングを継続することの意味――大学生活に適応できずに来談した男子学生との７年間の面接過程の検討――．学生相談研究，36(3)，171-183.
吉良安之（2019）特集：発達障害【Ⅱ．大学における支援体制】カウンセラーの立場から．CAMPUS HEALTH, 56(2)，29-34．公益財団法人全国大学保健管理協会．
Kira,Y. & Fukumori,H.(2015) Chap.8 The Significance of Focusing for the Therapist: Therapist focusing. Mikuni,M. (Ed.), *The Person-Centered Approach in Japan: Blending a Western approach with Japanese culture.* PCCS Books Ltd. Monmouth, UK. 131-145.
吉良安之・古謝みどり・高江洲義英（1995）散歩をしながら行った分裂病入院患者への精神療法．精神療法，21(1)，53-59．金剛出版．
吉良安之・兒山志保美（2006）セラピスト体験の自己吟味過程――セラピスト・フォーカシングの１セッション――．学生相談（九州大学学生生活・修学相談室紀要），７，55-65.
吉良安之・大桐あずさ（2002）セラピストフォーカシングの１事例――セラピストとしての自分の体験へのフォーカシング――．学生相談（九州大学学生生活・修学相談室紀要），４，26-37.
吉良安之・白石恵子（2009）フェルトセンスを手掛かりにした臨床現場での心理士としての立ち位置の吟味．学生相談（九州大学学生生活・修学相談室紀要），10，76-85.

吉良安之・高石恭子・内野悌司・菊池悌一郎・福留留美・福盛英明・松下智子・田島晶子（2018）学生相談カウンセラーによる発達障害学生への支援の現状に関する研究．学生相談研究，39(1)，1-13.
吉良安之・田中健夫・福留留美（2007）学生相談来談者の学年ごとの問題内容と学生期の諸課題．学生相談研究，28(1)，1-13.

第2章

学生相談の特性とそこに見つける楽しみ

吉良　安之

私は心理臨床を学んだうえで、その実践の場として学生相談の仕事に就き、続けてきた。心理臨床を行う職場は医療、福祉、教育、司法、産業など多々あるが、そのいずれであっても現場に合ったかたちにして実践する必要がある。学生相談という現場においても、もちろんそうである。では学生相談はどのような特性をもった仕事なのだろうか。そこに合った心理臨床を工夫するなかでどんな楽しみを見つけていけるだろうか。私自身の経験から、それらを言葉にしてみたい。

1．教育機関の内側での心理相談

学生相談のもっとも大きな特性は何かと聞かれたら、私はそれが教育機関の内側での心理相談だということを挙げたい。来談する学生もカウンセラーもともに、大学組織の一員であり、それぞれが学内に人間関係のネットワークを持っている。そして両者のネットワークは一部で直接重なっている可能性がある。また、直接には重なっていなくても、カウンセラーはしようと思えばその学生の学内関係者とやりとりできる立場にある。学生の側も、知ろうと思えばそのカウンセラーについての情報を入手できる。両者は同じコミュニティーのメンバー同士である。

この特性をどのように考えるかは、とても重要である。学生相談を心理療法の文脈で捉えようとすると、難しい面がかなりある。心理療法は本来、来談者の日常生活から切り離され、つながっていない人間関係の場で行われるべきものだからである。それが保証されていることが心理療法を行ううえでの前提である。心理療法の考え方からすると、学生相談においてはこの前提が成り立っていないということになる。

しかし学生相談の歴史的背景からこのことを捉えると、全く異なる様相が見えてくる。日本の学生相談は1945年の敗戦後にアメリカのSPS（Student Personnel Services）の理念の影響を大きく受けてスタートした。当時のことを大山（1997）の論文から抜粋すると、以下のような経緯が見えてくる。文部省内に設けられた学徒厚生審議会の1958年の答申では、厚生補導（SPS）を「大学教育における正課教育が果たすことのできない環境的条件の整備、多面的な教養、集団経験、人格と人格の触れ合いによる個別指導」として独自の教育機能を持つものととらえ、カウンセリングをはじめ、入学時のオリエンテーション、課外活動の援助、適応相談などを専門とする教官を国立大学に配置することが提案されている。しかしその後、その理念は進展せず、厚生補導よりも健康管理の政策が重視されて国立大学に保健管理センターが設立されていった。同時に、SPS（厚生補導）という用語よりも「学生相談」というSPSの一機能の用語が盛んに用いられるようになった。そして施策としては学生相談が保健管理に吸収されるかたちとなっていった。このようにして、「SPSの中でも特に学生相談が中心であり、かつその相談を学生の心理的・精神衛生の問題という点から見る、現在のわが国の学生サービスの特徴の基ができあがった」（大山, 1997）と捉えることができる。

つまり本来は学生相談は厚生補導の一部であり、かつ、アメリカでのもともとの理念からすると教科科目や職業を選択するうえでの助言や修学相談を含めてのカウンセリングが専門であったはずが、わが国では心理療法を担うセラピストというような志向で捉えられていったのである。

このような歴史的背景を知ると、学生相談を心理療法の文脈から捉えることはあまり適切とは言えない、視野の狭い考えであることがわかる。そうではなく、教育の一環として学生生活を支援するという厚生補導の文脈が大きな流れとしてあり、学生相談はその一部をなしていると捉えるべきであろう。学生相談は心理療法ではないこと、むしろ心理療法についての学びを生かしながら学生相談という固有の仕事に取り組む必要があることを理解しなければならないであろう。

幸いなことに、私を含めて現在学生相談に携わっている者の大部分は心理療法のみならず、心理臨床全般を学んだうえでこの仕事を行っている。心理臨床は心理療法とイコールではなく、それを含みつつ心理的な観点からの臨床実践を広く包括しているものと言えるであろう。つまり学生相談は心理臨床活動の一つと言えそうである。私自身はそのような理解にもとづいて、学生相談を行ってきた。

２．個別相談における工夫

学生相談は、学生およびカウンセラーの日常と地続きである。滅菌室のような日常生活から切り離された空間で行われるものではない。言ってみれば、菌やほこりにまみれた場でのカウンセリングである。しかし学生相談では、援助を行ううえで、このことをむしろプラスに利用しようとする。カウンセラーは大学の各学部などそれぞれの所の教育の仕方や教育体制の特徴およびルールについて、かなり知っている。学生がどんなことで苦労しがちか、教員や職員がそれぞれどんなことを考えているかもある程度知っている。このような背景を知っていることで、学生に対してその場に合った援助を提供しやすいと言える。学生への心理的な援助だけでなく、教員と話し合って修学環境を調整したりすることもよくある。

しかしもちろん、菌やほこりにまみれた場でのカウンセリングであることの難しさもある。例えば、カウンセリングを行っている学生について教員から問い合わせが入ることがある。学生は日常生活を共にする教員や周囲の学生たちには言えない事柄、言いたくない事柄について話し合う場としてカウンセリングを利用しているのだが、教員はその学生を心配してカウンセラーにコンタクトを取ってくるような事態である。

そもそも、病理をもった学生や適応に支障を抱えた学生について、大学側として前もって把握しておきたい、それに見合った対応ができるように情報を知っておきたい、というのは自然な（そして素朴な）発想と言えるかもしれない。しかし学生側からすると、知られることは特別な目で見られることを意味しており、それを大学側に伝えるかどうかは自由意志で判断できるようにしておかねばならない。「ここだけのこと」として自分の内奥にある思いを語ることのできる学生相談室という場の貴重さは、なかなか周囲にわかってもらいにくい。

カウンセラーはこの両方の思いの狭間に立って、妥当と思われる道を探すことになる。そのためには、一般論ではなく、個別の状況（今、目の前にある状況）においてはどのように対応するのが適切だろうか、と考えて判断する必要がある。そのような工夫を行うことで、菌やほこりにまみれた場でのカウンセリングであることのマイナス面を薄め、プラス面を活かしていくように心がけていると言えるであろう。

３．個別相談以外の支援

心理療法中心だった従来の発想から離れて学生への心理支援のあり方を考えていくことで、現代の学生相談は、個別相談以外にもさまざまな支援形態を生み出してきている。私自身が行ってきたのは、授業を通じた学生への関わりであった。別稿で述べたように、九州大学の学生相談の仕事に就いた当初から、カウンセラー独自の授業科目「人間関係の科学」などの授業を担当した。授業で学生に自身を振り返るために書いてもらった文章を通じて、私は学生が大学生活のなかで体験していることを知ることができた（吉良, 1993）。同時に、授業はカウンセラーの視点から学生にメッセージを発する機会ともなった。カウンセリングは学生からの相談を受けるかたちでの援助行為だが、授業はより積極的にこちらから学生に関わる機会であった。

学生相談カウンセラーが授業を通じて学生に関わる実践は、九州大学では現在に至るまで長く行われてきている。九州大学学生相談紀要・報告書の第６号には「特集：カウンセラー教員が担当する授業」が組まれており、体験実習型コミュニケーション講義でのアンケート結果から見た学生のニーズやこの授業が提供できるものの検討（松下・福盛, 2019）、海外からの留学生とほぼ同数の日本人学生とで構成される多文化クラスの学部授業「日本事情」において受講生が何を体験したのかの検討（舩津・高松, 2019）、大学院生向け多文化クラス「異文化理解の心理学」を受講した学生の感想レポートから見た本授業の意義や適応促進的側面の検討（小田・高松, 2019）が掲載されている。

授業以外にも、さまざまな支援が行われている。かつて私たちはピア・アドバイス活動として後輩が同じ学部の先輩に修学上の相談を行う場を設けた時期があった（吉良, 2019）。今日行われているものとしては、サイコ・リトリートと命名されて長く実践されている学生の居場所活動（福盛・峰松, 2015）、他大学出身の大学院入学者に向けた心理的支援の活動（小田, 2017）、「アートクッキングセラピー」を用いたグループ活動（松下, 2016）がある。また、大学教育の一環として学生相談が大学生全体に提供できるものとして、大学生のストレス対処能力やメンタルヘルスに焦点を当てたｅラーニング教材の開発も進められている（松下・福盛・高柳他, 2018）。

これらのように、学生相談担当者は心理臨床を基礎に置きながら、当面する学生の姿を感じとり、大学が置かれている状況を視野に入れて、今の大学に何が必要とされているのかを見据えた実践を行っている。このような取り組みは、前述したように、戦後しばらくの間議論されていた厚生補導（SPS）の理念に通じるものがある。当時は実体化されなかったものが理念としては生き残り、今になって具体化してきていると考えると感慨深いものがある。

４．学生相談の楽しみ：その１

以上に述べてきたように、学生相談の活動においては、大学や学生のニーズを読み取ってそれに見合った支援のスタイルを考案していくことが求められる。個別のカウンセリングを行うなかでは、学生の語ることに耳を傾けて沈潜しつつ、一方で関係者と連携するなどの学生相談固有の工夫が必要になるし、面接室の外に出て行うさまざまなアウトリーチ活動も重要である。

このように学生相談には、面接室の内にこもることとその外に出向くことの両側面がある。内向性と外向性の両方が求められる仕事だと言うこともできる。ロールシャッハテストの用語を使えば、両向性である。人間運動反応もあれば色彩反応や陰影反応も出るような、バランスのとれた多面性が求められるのである。

そのような仕事をこなしていくのは大変ではあるのだが、しかし私という人間のいろんな側面を（苦手な面も含めて）活性化させられるような感覚がある。トレーニングジムで体のいろんな部位を鍛えられるような気分である。そのような、疲れはするが爽快感もなくはない、といった楽しみが学生相談には備わっているように思う。

５．人生の歩みのなかでの学生期という時期

次に、学生の姿に目を向けよう。人生の中の学生期というフェーズについてである。学生は授業料を払って大学に在籍しているということからすると、それほど不良な環境にいるわけではないのだが（中にはきわめて過酷な状況にある学生もいるが）、不登校や引きこもりは言うに及ばず、自傷や自殺もそれほど稀ではない。学生相談では、自殺の問題はいつもちらちらと視野に入ってくる深刻な問題である。人間関係でのトラブルやストーキング、犯罪、カルト、違法薬物などの問題も彼らのすぐ身近にある。

学生期は、人生経験がまだ少ないのに、社会的な活動の範囲が急速に拡大する時期である。言ってみれば、沿岸近くにいた船が急に陸地から離れて外洋に乗り出したところである。それに見合ったしっかりした船であればいいのだが、まだ小舟状態の人もいる。底知れない深い海の上に小さなボートが揺れているような状態である。

彼らの心の内でも、急に深いところへの通路が開かれるのではないだろうか。それまでは通路に蓋があってその奥は見えない状態だったのが、突然蓋がとれて奥の方と往き来できるようになる。恵まれた環境というのは、蓋をすべきところにはきちんと蓋がされているような環境である。そのような環境に育ってきた人が、学生期に至ると蓋がはずれる。そして怪しいもの、危ないもの、得体の知れないものが周囲に溢れていることに気づくし、それらを自身の心の内にも感じるようになる。

それまでは見えなかったものが意識にのぼるようになり、それが自分を脅かしてくるような状態である。青年期＝疾風怒濤の時期と言われていたのが過去のものになり、平穏な青年期像が強調された時期もあった。しかし私たちが見ている現代の青年期は、表面的には穏やかに見えて実は危険と隣り合わせである。SNS を通じた未知の人たちとの交流も、場合によってはリスク

につながる。破綻なくこの時期を通過していくのはなかなか難しく、多くの人は意識の外から響いてくるものの気配を感じたり、時にはその正体に向き合ったりする。それに飲み込まれて圧倒される人も出てくる。

学生期は人生の踊り場（階段の途中の平坦な部分）だと言われることがある。社会的な拘束や義務が少ないという意味ではそうだろう。講義に出席しなくても監視の目があるわけではない。引きこもっていても、しばらくは誰も気づかないことが多い。しかし一方では、卒業と同時に就職しないとまともな仕事に就けなくなるとか、留年を重ねると職探しが難しくなるといった現実（どの程度それが本当なのかは判然としないけれども）があり、学生たちは道を踏み外すことへの不安や恐れを抱いている。そのなかで心のバランスをとるのは、なかなか難しい作業である。とても自由でのんびりしているような、しかし一方では精神面でも現実面でも危うさがすぐ近くにあるといった不安定さのなかで、彼らは学生期を生きている。

６．学生の心の両面性への関わり

学生相談カウンセラーは彼らと関わりながら、この両面性を経験しているように思う。自由な空気感のなかでともに時を過ごしながら雑談をしたり、関心を持ったものについての話で盛り上がったりするのは学生相談に不可欠の要素である。しかし一方で、その空間が虚無や危うさと地続きであることをいつも感じている。バランスを失うと小型ボートは簡単に転覆し、深い海の底に引き込まれてしまう。

安定と不安定、平穏と危機、のんびりと切迫。大学というところにしても学生期という時期にしても、この両面が隣合わせしている。そのような場にあって、私は学生相談のカウンセラーとして、脚を広げて右足と左足でこの両面を感じながらバランスをとっているような感覚がある。

私は学生と対話を行いながら、安定の中に不安定を感じ、穏やかさの中に切迫感を感じている。セッションが穏やかに流れていたとしても、その底の方に大きく強い水の流れを感じる。そして時折、それが表面に現れてくる。「学生相談の楽しみ：その１」（p. 21）に書いたように、面接室の内側での内向的な仕事とその外側での外向的な仕事の両面が学生相談にはあるのだが、面接室の内側での学生との関わりにおいてもまた、私は両面性を感じている。

７．学生相談の楽しみ：その２

上記のような面接を行いながら、私がいつもその背景に感じている感覚がある。それは、学生相談の空間に漂うおおらかさ、ないし潤いのようなものである。学生と切迫した面接を行なっていても、それが学生とカウンセラーを取り巻き、支えてくれている。その感覚をどう言ったらいいのか難しいのだが、それは「学校」という所がもっている空気感であるように思う。そしてそれは「家庭」の空気とは異なるものである。家庭は人を包み込んで養うところだが、学校は人を育成して成長を促すところである。

特に、大学のもつ空気は独特だと思う。大学にも効率主義や成果主義は上から覆いかぶさってきている。しかしそれだけではない、まったりしたものが漂っている。教育や研究を行うなかで人が育っていくために不可欠な、発酵と醸成の雰囲気である。失敗してもやり直しが効き、混沌のなかから新しいものを見つけるための時間が保証されている。これはまさに、学生相談にも不可欠の要素である。

もしも大企業の内側でカウンセリングの仕事をしていたら、そうはいかないと思う。企業活動を行う張り詰めた環境の中の一室でカウンセリングに必要なまったりした雰囲気を醸し出すのは、至難のことだろう。心の危機状態に陥った学生と切迫した面接を行っているときも、大学というところが本来持っている豊かさに支えられ、なんとかその場を凌いで次につないでいくことができているように感じる。そのような空気感のなかでカウンセリングを行うことに、私は楽しみを感じてきたように思う。

学生相談における人間関係は、教員と学生との間の関係とはだいぶ異なる。学生は援助者・支援者としてのカウンセラーを求め、来ようと思えば継続して来室するが、用がなくなれば来なくなる。学内での立場や年齢は異なるので上下関係がないわけではないのだが、そもそもが任意の人間関係である。学生から注文や不満もけっこう言われる。その分、風通しがいい。学生にとってみれば、学生同士の関係とも教職員との関係とも異なる、そしてもちろん親子関係とも異なる、独特の人間関係の場だろう。そのような場で、語りたくなったことを（外には漏れないことを前提にして）学生が語り、私はそれを聴きとりつつ援助につないでいこうとする。このような、自由だが緊張感のある時間を過ごすことを、私は楽しんできた。

８．おわりに

この文章を書いてみて、私は学生相談を通じて問題が解決したり何らかの成果が達成されることを楽しみにするというよりも、日々のその行為自体を楽しみに感じて過ごしてきたことに改めて気づいた。このような、やり甲斐のある仕事を九州大学から与えられて職業生活を過ごすことができたことを、ありがたく思う。ご一緒に仕事をさせていただいたカウンセラーや教職員の方々にお礼を申し上げたい。そして何よりも、学生相談の場でともにさまざまな経験をさせていただいた、多くの元（ないし現）九大生の皆様に深く感謝したい。

さらに付け加えると、かつての六本松、箱崎、そして今は伊都の学生相談の部屋にもご挨拶をしたくなる。学生相談にとって、居場所としての空間はとても重要である。私がかつてカウンセリングを担当した元学生の人が学生相談を思い出すとしたら、私の姿よりも前に相談室という物理的空間を思い浮かべるのではないだろうか。カウンセラーは相談室に置かれた備品の一つかもしれない、という連想もあながち的外れとは言えないように思う。

そんな感慨を抱きながら、筆を置くことにしたい。

●文　献

福盛英明・峰松　修（2015）大学における学生を対象とした居場所活動──退避しつつ１人１人が主役になる体験することを支援する Psycho Retreat──．九州大学心理学研究，16，25-33.

舩津文香・高松　里（2019）多文化クラス「日本事情」の展開──受講生は何を体験したのか──．九州大学学生相談紀要・報告書，６，21-32.

吉良安之（1993）大学入学後の心理的混乱の諸側面──講義における大学１年次生の体験報告から．九州大学教養部カウンセリング・リポート，５，50-61.

吉良安之（2019）私の学生相談の経験．学生相談研究，40(2)，135-144.

松下智子・荒木登茂子（2016）「アートクッキングセラピー」を用いたグループ活動――２年間の実施報告と課題．九州大学学生相談紀要・報告書，３，21-25.
松下智子・福盛英明（2019）体験実習型コミュニケーション講義が果たした役割と今後の展望．九州大学学生相談紀要・報告書，６，13-20.
松下智子・福盛英明・高柳茂美・梶谷康介・李暁燕・小田真二・舩津文香（2018）大学生のストレス対処能力を高めるｅラーニングプログラムの開発――経過報告――．九州大学学生相談紀要・報告書，５，55-64.
小田真二（2017）他大学出身の大学院入学者に向けた心理的支援に関する検討――これまでの国内外の学生支援の取り組みと比較して――．九州大学学生相談紀要・報告書，４，9-18.
小田真二・高松　里（2019）カウンセラー教員が担当する大学院生向け多文化クラスの意味：大学院基幹教育「異文化理解の心理学」．九州大学学生相談紀要・報告書，６，33-41.
大山泰宏（1997）高等教育論から見た学生相談．京都大学高等教育研究，３，46-63.

第3章

日常生活のなかのフォーカシング体験

吉良　安之

はじめに

私たちの生活感覚のなかには、自分でも気づかないうちにフォーカシングの心の動きが発生していて、それが大切な位置を占めていることがある。私自身、そんな体験がいくつか思い浮かぶ。フォーカシングをスキルとしてではなく、日常生活において大事なポイントとなる心の様相として見ることは、けっこう大切なことかもしれない。そこで、私に思い浮かんだことを３つほど書き留めておきたい。

１．梶井基次郎の小説「檸檬」

高校生の頃、私は学校の図書館でときどき梶井基次郎の全３巻の全集を開いていた。ほとんど短編ばかりなのだが、そのなかに「檸檬」という小説がある。ほんの数ページの、小説とも言いにくいようなものだが、彼の代表作のひとつとされている。私はそれを読むのが好きだった。第三高等学校の学生、結核、微熱と閉塞感、当時の彼の姿そのものを描いたような作品である。

「えたいの知れない不吉な塊が私の心を始終壓へつけてゐた。焦燥と云はうか、嫌悪と云はうか―酒を飲んだあとに宿酔があるやうに、酒を毎日飲んでゐると宿酔に相當した時期がやつて来る。それが来たのだ。これはちよつといけなかつた。」

小説の出だしはこの文章である。主人公はそれがいたたまれず、街を徘徊する。みすぼらしくて美しいものに強く惹かれながら。京都の街をさまよい、裏通りを歩き、暗い果物屋の前で足を止める。珍しく店に出ていた檸檬を手に取り、それを買う。するとなぜか気分がよくなる。それを手に持って歩きながら、「その檸檬の冷たさはたとへやうもなくよかつた」のである。結核による微熱が出た体には、その冷たさが心地よい。鼻に近づけて「ふかぶかと胸一杯に匂やかな空気を吸込めば」元気が出てくる。そして久しぶりに丸善（当時、洋書を扱う高級書店）に入っていった。

しかしその幸福な感情は長くは続かず、「段々逃げて行つた」。歩き回った疲労が出てきたのだ。また憂鬱が襲ってくる。画本の棚に行き、抜き出して見ようとするが、その重さに耐えられず、そこに置く。そして置いたまま次の一冊を開き、また置く。この繰り返しで、画本が積み重なってしまう。

そのとき、主人公は袂（たもと）の中の檸檬を思い出す。「本の色彩をゴチャゴチャに積みあげて、一度この檸檬で試して見たら」と。そして彼は画本をあれこれと積み上げたり潰したりしながら、「奇怪な幻想的な城」を築く。そしてその上に檸檬をそっと置く。完成である。それは上出来だった。

そのとき「不意に第二のアイデイアが起つた」。それをそのままにして、なに喰わぬ顔をして丸善を出ていくというたくらみである。「出て行かうかなあ。さうだ出て行かう」。そして彼は、すたすたと出ていった。「丸善の棚へ黄金色に輝く恐ろしい爆弾を仕掛て来た奇怪な悪漢が私で、もう十分後にはあの丸善が美術の棚を中心として大爆発をするのだつたらどんなに面白いだらう」と、くすぐったい気持ちで微笑みながら。彼は「さうしたらあの気詰りな丸善も粉葉みじんだらう」と想像しながら京極を下っていったのである。

こんな作品である。当時の私は高校での昼休み、この作品を読んでぼんやりしながら、一人の時間を過ごすことがあった。いい時間だった。手のひらに握った檸檬のちょうどいい大きさ、冷たさ、重さが触感として感じられるようだった。

それから長い年月を経て、私は臨床心理学を学んで心理臨床の世界に入り、フォーカシングと出会った。その感じ方は私には相性が良かった。けっこうすんなりと自分のなかに入ってきて、クライエントと接しているときの自分の心の動きの大切な一部分を占めるようになった。そしてそんなときに、梶井の作品を思い出し、これはまさにフォーカシングの心の動きだなあと気づいた。

「えたいの知れない不吉な塊」は、主人公の感じているフェルトセンスである。結核は当時、不治の病だった。しだいに体が蝕まれていき、未来に不安な影が落ちる。そのフェルトセンスを感じながら、歩き回っていて見つけた檸檬。それを丸善の美術の棚に積み上げた画本の上に置いてすたすたと出ていく。これはまさにフェルトシフトである。「さうしたらあの気詰りな丸善も粉葉みじんだらう」は、不吉な塊というフェルトセンスが粉葉みじんに砕かれて霧散する、心の一瞬である。

このことに気づいて、私の心にもフェルトシフトが起こった。私が高校生の頃から感じていた心の動き、大切な時間が、ジェンドリンによってフォーカシングという用語で語られているものだとわかったからである。そのような心の動きは、ひょっとすると高校生時代よりもかなり前、小学生や中学生の頃にも感じていたかもしれない。私にとっては“自分”という感覚にかなり近いところに感じる体感である。それがフォーカシングという用語で表現されていることに、半ば驚き、半ばしっくりきたのである。

2．ウルトラマンの胸のランプ

ウルトラマンが地上で怪獣と戦えるのは３分までである。リミットが近づくと胸のランプが点滅し、独特の音が流れる。私は一時期、自分の胸元にもそのランプを感じていた。

大学生の頃、人生にかかわるような進路選択に迫られる時期だった。自分がこれから何をしたいのか、どのような道に進むのか、模索するけれどなかなか見つからず、あれこれと試しては白紙に戻ることの繰り返しだった。ある方向に進もうとして、自分にそれでいいかどうかを問うと、あまり良くない反応が内側から返ってくる。それを感じて、私はその道に進むのはやめた方がいいと判断した。

私は、これはウルトラマンのランプみたいだと思った。自分の胸にもそのランプがあると思った。ある職業について、頭ではそれが進みたい方向かもしれないと考えるのだが、考えることと感じることは異なる。自分に問い、その進路を胸で感じてみると、ノーなのである。結局、臨床心理学を学ぶことについては胸のランプが鳴らなかったので、その大学院を選んだ。そしてこれまで、この進路を選んだことをひどく後悔したことはない。

その後いつの間にか、胸のランプのことは忘れてしまっていた。大まかなところでの自分の進路が決まってからは、そこまで切迫感を抱きながら自分の胸に問うようなことがなくなったのだろうと思う。しかし後になってフォーカシングを知り、あのときの胸のランプは一種のフェルトセンスだったのだと気づいた。

自分の胸に問えば、それが自分に合わないことなら合わないと知らせてくれる。大学生の頃のように明瞭ではないけれど、現在も何かしようとして、「あ、これはやめておこう」とストップがかかることがある。そんな感覚が自分を助けてくれているような気がする。

３．心理療法面接の渦中にあって先を探しながら判断する感覚

ある事例の心理療法が終結した後には、その経過を振り返って検討する。面接過程で何が起こっていたのか、クライエントはどのように変化したのか、この心理療法はどのように役立ったのかを考える作業である。それは大切な作業ではあるのだが、私はいつも何か違和感を感じながらそれを行っていた。その事例を終結後に眺めると、心理療法を行っている最中に感じていたものとはずいぶん質の違うものに変わってしまっているような感覚を感じるからである。

終結後に振り返ると、これが大事だったのだな、ここがポイントだったのだな、と気がつくし、整理ができる。しかしそれは心理療法面接の渦中にあって先を探しながら判断しようとするときの感覚とは全く別物なのである。私はその違いに戸惑ってしまう。渦中にあるときには何がポイントなのかはっきりとは分からないが、探りつつ、その場その場で判断してクライエントとやりとりをしている。しかし終結後に見るとちゃんとした流れに見えるし、いろんな出来事ややりとりがそれぞれの位置に納まり、ジグゾーパズルのいろんなピースが噛み合うように整合している。面接の渦中ではわからなかっ

たことが、納まりどころに納まるのである。

しかし臨床家にとっては、心理療法の渦の中での判断が重要である。見通しの悪いなかで判断し、やりとりをしていく力量を磨く必要がある。終結後にわかっても仕方がない。面接経過を後でまとめて事例論文を書けるというだけでは臨床家の仕事は務まらないのである。この違いはいったい何なのだろうと、私はずっと不思議に感じていた。面接中の探索作業はとても重要なことなのに、それを語る言葉が見当たらないのである。

しかし、フォーカシングにつながるジェンドリンの理論（Gendlin, 1997）を学んでいて、ふとあるときに思った。心理療法面接の過程でクライエントと私とがお互いに探りつつやりとりを行うことでプロセスが生まれてくる。それはジェンドリンが述べている「インプライングの中へと生起する」（occurring into implying）ということではないだろうか、と。両者が手探りで探しているのは、未知だがそこに暗に内包されているもの、すなわちインプライングである。そこに向かって両者が飛び込んでいくことで、プロセスが生まれるのである。

後で振り返れば、すでにプロセスが生じているので何が起こっていたのか分かるし、説明ができる。それはある意味、容易である。しかし私たち臨床家が行っているのは説明することではなくて、プロセスが生み出されるように歩むことである。と言うか、歩みが生まれればそれがプロセスをかたち作っていく。私たち臨床家は、クライエントと私とで歩みを生み出せるように、やりとりしつつ探索を行っているのである[註]。

おわりに

気がついてみるとこれもフォーカシングかもしれないと感じてはっとした私自身の体験を３つ、文字にしてみた。この３つはいずれも、気づいた瞬間にはっとしただけでなく、その余韻を自分の内側で繰り返し何度も味わうことで、その体験の自分にとっての大切さが体感できていったように思う。

このことから考えるのだが、自分の経験や出来事を振り返って、ここにもそこにもフォーカシングを見つけたとしても、それ自体にあまり意味があるようには思えない。珍しい虫を探し回る昆虫採集は面白そうだが、フォーカシング採集にはそれほどの意味はなさそうである。

それよりも大事なのは、フォーカシングというキーワードを手に持つことで、私の生活体験をこれまでとは別の目で振り返り、新しい発見が生まれることだと思う。日常の生活のなかで自分はこんな貴重な体験をしているのだと、フォーカシングを知ることで再発見することである。その方が、フォーカシングを自分の生活（人生？）にいかせる気がする。

註）第1章の4節に、鳥の目線とアリの目線ということを述べた。終結後に事例を振り返るときは鳥の目線になっている。それに対して、心理療法中に見通しが悪いなかで判断しやりとりをするのはアリの目線である。

●文　献

Gendlin, E. T.（1997）*A Process Model.* New York: The Focusing Institute.

梶井基次郎（1925）檸檬.『青空』創刊号.（梶井基次郎全集第一巻，1966，筑摩書房，7-13.）

<付記>

本稿は、The Focuser's Focus（日本フォーカシング協会ニュースレター）第23巻第3号（2020年11月発行）に掲載された「リレー連載　研究者の数珠つなぎ」の記事に、一部手を加えたものです。原稿を書くうちに本書にも載せたいと思うようになり、本協会のニュースレター編集グループの方々に転載のご承諾をいただきました。ありがとうございました。

第4章

「私」の有限性をめぐって

── 新米高齢者のつぶやき ──

吉良　安之

［本稿は2020年９月４日に行われた日本人間性心理学会第39回大会自主シンポジウム「人間性（心理学）と宗教性の交差をめぐって ── 科学技術の時代に宗教性は何であり得るか？」（司会：高橋寛子氏、シンポジスト：飯嶋秀治氏、村里忠之氏、森岡正芳氏、吉良安之）での私の発言を一部修正したものである。末尾には、シンポジウムが終わってから考えたことを書き留めた。］

＊　＊　＊　＊　＊

私はさいきん、「終わり」を意識する機会が多くなった。自分が半年後に今の職場を定年で退職予定であり、人生の一つの区切りを迎えることが大きく響いている。それに加え、大学に入学した頃に出会って長く親しくしてきた友人が最近亡くなった。これまでにも大切な友人を失う経験は何度かしてきたのだが、今回はさらに深く響くものがある。そのような状況のなかで考えていることを述べてみたい。

私は自分の父方の祖父や祖母は知っているが、その前の代のことはほとんど何も知らない。母方については祖父母の一代前のことまでは聞いて（墓を見て）知っている。しかしその前のことは知らない。名前も何も全く知らない。そう考えると、私が死んだ後、私のことを覚えているのは、私の孫かその次の代くらいまでではないかと思う。

私に限らず、私たちはそれなりに必死に生きている。何にどのように必死かは人それぞれだが、死にたくなるほど悩む人も多い。がむしゃらに生きたり、どうせ自分は、とひねくれたりしながら、自分という存在を生きている。

ところが、そのように必死に生きた私のことを覚えているのはひ孫の代くらいまで。私が死んで100年もしたら誰も覚えておらず、私という人間が存在したことは、あらゆる人の記憶から跡形もなく消滅する。そう考えると、今を必死に生きていることと、存在のはかなさとの間に、限りないギャップを感じる。

このギャップと接点があるように感じた小説がある。カズオ・イシグロの『私を離さないで』（Never Let Me Go）である。小説中に登場するのは、人に臓器を提供するために生み出されたクローンの子供たち。ヒトとも言えない存在である。彼らは人として必死に生きようとしているのだが、その存在の基盤はきわめてはかない。手術で臓器を提供するたびに弱っていき、数回の提供で命を落とす。臓器提供のためだけに生み出された存在である。

＊　＊　＊　＊　＊

死というものを３つに分けて考えようと思う。

１つ目は、人生の折々の節目に生じる「小さな死」である。ある段階から次の段階に移行すると、私たちは前の段階での自分の一部を失う。これは「部分的な死」と言ってもいいかもしれない。結婚して新しい生活が始まれば、独身時代の自分を失う。子供が生まれれば、パートナーとのそれまでの生活を失う。そのような死は、ライフサイクルのなかで日常的に生じている。私の仕事である学生相談との関連で言えば、大学を卒業することは大学生としての自分を終わりにすることである。しかし、終わりを経験することで、次のステップの自分を新しく作っていくことになる。

２つ目は、生物としての自分の死である。誰もがそれに向き合わなければならないものであり、それが生き物としての自分を根底から規定している。すなわち、mortality である。私という個別性の側からすると、死に向き合うことは底の知れない怖さを伴うものである。しかし生き物としては、それはごく自然で当たり前のことである。庭の枯れた雑草を見ながらそう思う。そこにも何か不思議なギャップの感覚を覚える。

３つ目は、あらゆる人の記憶から私という個人が消えるという意味での死である。ここに至って、「私」というものが終わるのだろう。個別性がすっかり消滅して無に帰るのである。歴史上に名を残したり、銅像を作ったりすることは、このような消滅をなんとか防ごうとする行為なのかもしれないが、銅像が残ったとしても、それは私の個別性が残ることとは全く別物であるように思う。個別性の消滅にあらがって immortal な存在になることは、できそうにない。

＊　＊　＊　＊　＊

以上、死という個人の消滅を３つの様相に分けて考えてきたのだが、加えて、もう一歩述べたいことがある。ここまで、私という個別性の目線から生や死について思うところを述べてきたのだが、考えてみると、私という意識が宿っているこの生き物について、それを「私」とか「主体」と呼べるほどの権限を私は持っているのだろうか、とも思う。どういうことかと言うと、私がこの生き物を作ったわけではない。この生き物の発生の段階から私という意識があったわけでもない。私という意識は、個体発生のずっと後の段階になって生じたものであり、さいごのさいごになってこの生き物に添えられたものである。この生き物に「主体」を感じるとは言っても、じっさいのところは、主体意識は後になって添えられたものである。私たちはその生き物に個別性、主体性を与えるような名前までつけてもらって人生を過ごすわけだが、主体とは言っても、その根拠を問われるとけっこう貧弱であると言わざるを得ない。

このような私というものの存在や消滅を、私という意識はきわめて重く受けとめて、考え続けている。私という主体意識が生じたために、私たちは考え続けることになった。個体の発生のさいごのところになって主体意識を添えられたために、その意識が私の消滅を恐れていると言ってもそれほど大きな間違いではないのではなかろうか。

＊　＊　＊　＊　＊

自主シンポジウムでの発言は以上であった。この発言を行った後、私はいくぶんすっきりしたような心持ちになった。私ということやその消滅にとらわれて、もがくような気分であったのが、私の有限性を言葉にし、それを受けとめたら、そこから少しばかり抜け出したような感覚を感じた。

言葉にすることで、気持ちに変化が起こる。そのように感じることが、よくある。言語化＝象徴化による体験過程の推進（ジェンドリン）なのだが、本当に不思議なことだと思う。そしてそのことを、ありがたく思う。おかげで、考えと気持ちが一つのところに留まって反復するのではなく、このようにして次々に変化していけるからである。

そのうえで考えるのだが、主体意識は消えたとしても、時間の流れは続いている。「私」という個体性を抜け出してその流れに参入できたら、と願う自分がいる。きわめて長い時間の流れの過程そのものであるような状態になりたいという願いである。しかし同時に、それを願っているのは私という主体であることに気づく。残念だが、私から抜け出すことはそもそもできない。そこに、どうにもならない限界がある。私にできるのは、結局、その限界に向き合うことであるように思う。

今、私はある建物の中、窓のそばにいる。夕暮れ時である。暮れかかった空と雲、その雲間には上弦の月が見えている。とても美しく、吸い込まれそうだ。私はそれを眺め、感じ、考えている。

拙い文章であるが、この一文を亡き友・故田中哲也氏の霊前に供えさせていただきたいと思う。

第2部

九州大学での学生相談の新たな展開

第1章

大学生のストレス対処能力、心身の健康に焦点を当てたeラーニング教材開発

松下　智子

1．はじめに

2020年度は、新型コロナウイルス感染拡大下において、大学教育および学生相談のあり方も新たな方策を求められることとなった。対面での授業や相談活動が実施できない状況となり、新たなオンラインツールに試行錯誤する日々。期せずして、2014年度より取り組んできた、大学生のメンタルヘルスやストレス対処能力、心身の健康に焦点を当てたeラーニングプログラムが、これまで以上に陽の目を見ることとなった。とは言え、“ないよりはあったほうが役に立つ”という程度のものかもしれない。しかし、今からの時代は、様々なICT（Internet Communication Technology）のツールを利用しながら、誰かに何かを少しでも届けようとする時代なのではないだろうか。誰かのTwitterのつぶやきを見て笑顔になれたり、YouTubeの動画を見てその日一日が何となくほっとした気持ちで終われたり、自分が発信したものに誰かが“いいね”と反応してくれる、といった些細な喜びがあふれている時代である。対面でなければできないものもたしかにあるが、対面以外でできるものもあり、便利さを実感した、これまでの常識を見直す機会になった、そのような一年ではなかっただろうか。

コロナ禍において、2020年4月にニューヨークの医療従事者657名を対象に行われた調査（A.Shechter, F.D., et al, 2020）では、57%の人に急性ストレス症

状、48％の人に抑うつ症状、33％の人に不安症状がみられていた。過酷な業務のなかにあって、身体的な活動／エクササイズ（59％）が最もよく用いられるコーピング行動であり、次いで、対話療法・カウンセリング（Talk therapy）（26％）やヨガ（25％）、瞑想（23％）などもなされていた。彼らに5種類の健康（wellness）に関するサポート資源への関心について問うたところ、従来の対面式の個人カウンセリング（28％）よりも、オンラインでのカウンセリング（online self-guided counseling）（33％）への関心が上回っており、オンラインでの医療従事者のサポートグループ（24％）、メンタルヘルスに関するビデオ教材（15％）に興味を持つ人もおり、特に急性ストレス症状などを呈している人は、よりこのような資源を求めているということが明らかになった。コロナ禍では、対面が困難な状況であり、メンタルヘルスの悪化をくい止めるために、オンラインでのサポート資源が求められているということが分かる。

2．学生相談におけるICTの活用

アメリカの学生相談においては、すでに様々なICTが用いたサービスが展開されている。例えば、400を超える大学のカウンセリングセンターが参加しているCCMH（Center for Collegiate Mental Health）では、匿名化されたデータをもとにアメリカの学生相談の経時的変化や近年の傾向をつかむことができ、予防的介入に活かされている。危機介入についても、オンラインのテキストデータから緊急度に応じたメッセージを発信したり、個別相談につなげたりするシステム（Crisis Text Line）が存在するらしい。また、効果的にリソースを集約するモデルであるStepped Care2.0では、学生の状態に応じて段階的に必要なサービスの提案を行うなどのシステム化が進んでいる。個別相談に応じるだけでなく、学生の状態や希望に応じて、まずeラーニング教材を紹介したり、インターネットベースの治療を提供するTAO（Therapist Assisted Online）やグループ活動を提案するものである。海外のメンタルヘルスに関するe-ラーニング教材には、自殺予防のゲートキーパー養成教材や、うつ病や不安に対するマインドフルネスやアクセプタンス＆コミットメントセラピー、認知行動療法、ポジティブ心理学のプログラム、物質乱用予防の教材が青年期の学生を対象に試みられてきており、その有効性が報告されている。

日本国内でも、厚生労働省の「こころの耳」(https://kokoro.mhlw.go.jp/e-learning/selfcare/) や、一般向けのオンラインでの認知行動療法のサイトが作られてきているものの (https://www.cbtjp.net/)、大学の相談機関では、大学生向けの心理・健康教育のｅラーニング教材はほとんど報告されていない。日本とアメリカでは学生数や多様性の規模が異なるとは言え、日本の大学ではまだ限られた人数にしかサービスを提供できていないという課題がある。いかに多くの学生に予防的な教育を行いメンタルヘルスの悪化を防ぐか、学生のストレス耐性を向上させるか、ということについてはまだ十分な実践が開発されていないのが現状である。

3．大学生のストレス対処能力、心身の健康に資するｅラーニングプログラムの開発

今回、この記事を書かせていただくにあたって、筆者が現職についてから皆で携ってきた教材作成プロジェクトを振り返ることになった。それらは、職場の特長もあり、一般大学生が社会人になっていく前に知ってもらいたいストレス対処や心の健康に関する内容である。これらを作成してきた背景には、心理学や臨床心理学、精神医学、心身医学、運動疫学などの知見を、一般の人たちに分かりやすく伝え、日常生活で活かしてもらえるようにしたいという考えがある。対面での一対一の臨床面接やグループ活動とは異なる活動であり、技術的な困難さもあるなかで、遅々として作成してきた経過を以下に述べる。

（1）九州大学でのセルフケア ABC プログラムの開発

筆者は、2012年から九州大学健康科学センター（現キャンパスライフ・健康支援センター）において、同センター内の医師やカウンセラー、健康・スポーツ、健康疫学の専門性を有する教員らとともに、「大学生のセルフケア能力向上のための ABC プログラムの開発」（九州大学 EEP プログラム：2012-2013年度　代表：松下智子）に携わった。現在、九州大学では全学部１年生

の必修授業において、このプログラムを用いて身体的なアプローチを中心に据えたストレス対処スキルトレーニングが実施されている。プログラムの内容は、それ以前に行われた九大生のメンタルヘルスの実態調査と、オーストラリアの Monash 大学における Health Enhancement Program という、マインドフルネスの実習を中心とした授業を参考にして作られた。Monash 大学における健康教育では、ESSENCE（Education、Stress management、Spirituality、Exercise、Nutrition、Connectedness、Environment）という内容からなり、ストレスマネジメントだけでなく、栄養、環境など包括的な生活全体から健康を捉えているところが魅力的であった。

2010年より行われた大学生のメンタルヘルスに関する大規模な質問紙調査の結果から、大学生活の QOL（Quality of Life）やストレス対処能力が高い学生は、規則的な生活を送っており、楽しみや夢を共有できる良好な友人関係があること、不安や緊張を感じることが少ないことなどが明らかとなっていた。一方、抑うつ状態の得点が高い学生は低い学生に比べて、不規則な生活を送っており、人間関係で不安や緊張を感じやすく、悩みを相談できる友人がいないと回答した者が多かった。つまり、大学生活の質を向上させ、生き生きと過ごすためには、規則正しく活動的に過ごすこと、緊張や不安を和らげること、安心して話せる人間関係を持つこと、の大きく３つの点が重要であると考えられた。そこで、九大式セルフケア ABC プログラムは、Active learner for life「生活や人生に楽しみを見出し、意欲的な姿勢を持って過ごす」、Body Awareness & Relaxation「日々の生活での緊張や不安を和らげ、心身の声に耳を傾ける」、Communication「楽しみを共有し、困った時に助けを求めることができる友人関係」の ABC の３要素からなるものとした（図１）。

身体的なワークは高柳茂美講師を中心に作成され、授業後のアンケート調査では、「呼吸法」や「リラクセーション」に興味を持ち、やってみようと思う学生が多いことが明らかになった。学生の評価は概ね好評であり、セルフケアという考え方そのものへの興味を促すことができ、予防的な教育内容となっていた。しかし、10％程の学生が興味を持てなかったと答えており、それらの学生では、身体的なワークを通じて、爽快感やリラックス感が感じられにくかったことも明らかとなった。このプログラムの発想に続いて、e ラーニングシステムを開発に着手し、前述のストレス対処スキルトレーニングの必修授業の連動を考えてきた。

九大式セルフケアABCプログラム

Active learner for life
生活や人生に楽しみを見出し、意欲的な姿勢を持って過ごす
①適度な運動で体力づくりと気分転換を図る
②生活リズム、食生活や住環境を整える
③楽しみややりがいのあることを見出す

Body Awareness & Relaxation
日々の生活での緊張や不安を和らげ、心身の声に耳を傾ける
①自分の体の状態（緊張や凝り）に気づく
②自分の心の状態（不安や怒り）に気づく
③緊張や不安を緩め、穏やかな気持ちになる

Communication
楽しみを共有し、困った時に助けを求めることができる友人関係
①自分の言いたいことを伝え、相手の話に耳を傾ける
②お互いに協力し、感謝し合う
③相談できる人をみつける

図１．セルフケアABCプログラムの内容（理論編）

（２）　大学生のメンタルヘルスやストレス対処能力を高めるｅラーニング教材の試作

2014年より、同センター内の福盛英明准教授と梶谷康介准教授、および学内他部局の教員（システム情報系の教員や異文化の教員ら）とともに、メンタルヘルスやストレス対処能力に関するｅラーニング教材作成を目指した（九州大学つばさプロジェクト：2014-2015年度　代表：福盛英明）。当初の教材の内容は３つのレベルを想定して作成された。レベル１：危機介入レベルでは、精神的に不調のある学生に対し、動画により援助希求行動を促すことを目指す。レベル２：ゲートキーパーレベルでは、学生同士の相互援助に関する視聴覚教材を作成する。レベル３：ストレス対処レベルでは、学生生活の質を自己チェックできるweb回答式質問票と、ストレス対処に関する視聴覚教材（３～５分で視聴できる動画）により学生のストレス耐性を向上させる、というものであった。具体的には、学生生活の質に関してセルフチェックを行うことができるコンテンツと、ｅラーニング教材動画として、うつ病、不眠症、ストレスの基礎知識、ストレス対処法などのセルフケアに関する教材６種類と、相談での話の聴き方、相談機関の紹介の仕方などのゲートキーパー用の教材２種類、危機介入の教材１種類とした。

試作したｅラーニング教材を、留学生を含む大学生20数名に視聴してもらい、教材の効果検証を行ったところ、教材体験群においてのみ、精神的健康（The General Health Questionnaire　GHQ12項目版）が改善し、ストレス対処法やメンタルヘルスの知識が向上するという結果が得られた。効果検証と同時に、学生によるコンテンツへの評価や感想、改良すべき点などを自由記述で問うたところ、教材の長さや量、教材の分かりやすさ、内容への関心度、役立ち度について肯定的な回答が得られたものの、教材の技術的な部分への意見も多く聞かれた。例えば、動画だけでなく自分でスクロールできるもの、より詳しい内容についての資料があるとよい、字幕があるとよいという意見や、実習については文面だけでは分かりにくいと言ったものだ。多くの学生に閲覧してもらうには、教材の技術的な面にも留意しながら作成し、大学生の身近な関心や困りごとに沿った内容を取り扱うことが必要であると考えられた。

（３）ｅラーニング教材改訂版の作成と授業や学生相談活動との連動

コンテンツの技術面での問題を解消するために、九州大学教材開発センターの協力を仰ぎながら、試作版のコンテンツの音声や動作の問題を解消することを目指した（「大学生のストレス対処能力を高めるｅラーニングプログラムの開発」JSPS 科研費 JP16K04369：2016-2018年度　代表：松下智子）。技術面でのバックアップを得て、多言語対応（英語・中国語）のページも完成させ、多くの学生に見せることができる内容のものを作成した。また、コンテンツの充実のため、感情のコントロールや友人関係に関するコンテンツを新たに加えたほか、呼吸法などの実習を行う際には、文面の説明だけでは難しいという意見から、呼吸法やリラクセーション、ストレッチの実習動画を新たに作成した。

この実習は、前述したように１年時必修科目である「健康・スポーツ科目」と連動しており、特に2020年度はオンライン授業を余儀なくされたため、このｅラーニング教材が学生に紹介され、実習課題も伝えることができたとのことであった。学生相談室では、2020年度から Twitter を始め、そこでもこの実習動画を紹介したり、コロナ禍でのストレス対処についての記事を学生相談室カウンセラーが書き、このｅラーニング教材のホームページ上に掲載した。

現在、臨床心理学を専攻する大学院生２名に、学生アルバイトとして教材の改善点を洗い出してもらい、新たなコンテンツ作成にも携わってもらっている。大学院生からの指摘は、利用者目線で、技術的なところから内容に至るまで的確であり、これまで気づかなかった改善点が見いだされた。それは、学生が慣れ親しんでいるICTやSNSなどの体験があるからこそ気づける部分であり、学生向けのものを作成するにあたっては学生の力が欠かせないと感じている。技術的な面では、以前からテクニカルスタッフ１名を雇用しており、このような人材なしでは到底出来上がらない。2021年度にかけて、さらに内容をブラッシュアップしていく予定である（図２）。

図２．ｅラーニング教材HP最新版一部抜粋（2020）

４．ｅラーニングプログラムの開発から見えてきた課題～学生の主体性という視点～

ｅラーニング教材を作成するにあたり、筆者らが当初考えていたメリットは、ｅラーニング教材を用いることで、より多くの学生に対して教育的なアプローチができるようになること、自宅や寮からでもアクセスでき、自分が学習したいときに学習することが可能となることであった。学生が何かしら悩みを感じた時や、心身の不調に陥った時、身近に心配な人がいた時など、必要に迫られたときに情報を得られるようにしたいという考えもあった。このように、ICTを活用することのメリットは、時間的、物理的な制約を取り除けるということである。

一方で、ｅラーニングのような自主学習では学生の主体性やモチベーションが課題になる。そのため、ｅラーニング教材を上手に活用することについても考えていかなければならない。Chan et al（2016）は、大学生がWeb上でメンタルヘルスの問題について援助希求を行う際、偏見を避けアクセスしやすいという利点を感じているものの、プライバシーや安全性の問題、ネット上でコミュニケーションをとることの難しさ、ウェブ上の情報の質の問題を懸念しているとした。Web教材の活用を継続していくためには、学生のニーズや懸念事項を聴いていきながら、共に作成していくという姿勢が必要である。その際、ソフト面での内容の充実とともに、ハード面での教材の使いやすさや興味をひく仕掛けも重要であり、そのようなユーザビリティの最適化を通じて教育的効果を高めていくことが求められる（Mogamat et al, 2014）。現在、取り組んでいる改善点は以下の３点である（「大学生が主体的に学べるICTを用いた心と体の健康教育の試み」JSPS科研費JP 19K03287：2019-2021年度　代表：松下智子）。

（１）学生が求めるｅラーニング教材の内容について

2020年１月に、筆者が担当する講義の中で、これまで作成しているｅラーニング教材を用い、225名の学生の意見を問うた。その結果、興味をもった内容については、「勉強が手につかないとき」（52名）が最も多く、次いで「ストレスの基礎知識」（48名）、「ネガティブ思考との付き合い方」（33名）であり、大学生が自己管理能力を高めたいと考えており、自分の能力をいかに発揮するかという生産性を上げる方向について関心が高い印象を受けた。青年期では、疾病予防という健康教育よりも、自己実現のための健康教育が目指されると言える。その他には、「相談で話を聞くとき」、「睡眠とこころの健康」、「雑談ってどうするの？」、「怒りを鎮める方法」といった、友人や家族との良好な関係性や自らサポートする側に回ることを想定した学びも求めていることが分かった。

また、新たに作成してほしい内容として、「集中力」や「将来」、「理想と現実」、「部活とバイトと勉強と遊びの両立」といった自己開発的なものと同時に、「相手の気持ちを読み取るコツ」や「多人数の人との交流の仕方」などの対人関係やコミュニケーションの問題、「うつ病以外の精神疾患」のような精神医学的な内容、「セルフメディケーション」や「ダイエット・バランスのよい食事」、「ストレス解消としての運動」といった予防医学的な内容も挙げられていた。その他にも、教員との人間関係、キャリア、性格、失恋、身近な人への相談の仕方、栄養のことなど、様々なテーマがあることが分かっている。このように、心理学や精神医学の知識を伝えるという発信者側の専門性に基づく発想にこだわらず、大学生がストレス対処、心身の健康に資する内容として求めているものは何か、ということを考えたほうが結果的に興味深いものが完成するだろう。

（2）eラーニング教材の配信の工夫

これまでのeラーニング教材開発を通じて、学生がどのようなモチベーションで視聴するかということが一つの大きなテーマとして浮かび上がってきた。このような心理教育的な教材に対する学生の関心は高いものの、学生の主体性やモチベーションをいかに引き出すかが重要である。アメリカで開発されたTAOでは、AIを用いて、通知により参加者を効果的な方法で励まし、思い出させ、導いていくといった、テクノロジーを駆使したインタラクティブなオンラインの治療を提供し効果を上げていると言う。マインドフルネスと認知行動療法のオンライン治療では、電話もしくはメールでのサポートを提供するものや（Winnie et al, 2017)、自動化会話を用いたものなども見られてきている（Kathleen et al, 2017)。そのようなインタラクティブな“自分に対するメッセージ”を得られることが主体性を高める可能性がある。

学生から得られた意見では、自分の状態に合わせたお勧めのコンテンツを得たいという意見も複数聞かれた。現在は、並列してある動画を自ら選んで見る形になっているため、関心の高い学生にとっては問題がないかもしれないが、そうでない学生は積極的に見ようと思わない可能性がある。今後は、フローチャート式の質問項目に答えた後に、どのような学習コンテンツを視聴することが適しているかを紹介したり、知識の習得度をチェックするテストによる達成度を明示したりと、全体の構成を考えていく必要がある。その他には、キャラクターが成長していくというゲーム性を持たせた内容にすることも考えられるかもしれない。一方、深刻な悩みへのメッセージをどう組み入れていくか、ということも大きな課題の一つである。この場合には、知識の伝達というものよりも、気持ちのこもったメッセージや支え合う場の提供などの方が適しているかもしれない。

（3）日常生活で活かす体験となるために～ポジティブな情動体験の必要性～

ストレス対処能力やコミュニケーションスキルなどは知的な理解だけでなく、実生活に活かす体験が重要であり、それが促される教材となるかどうかが問われる。筆者らの調査結果からは、爽快感やリラックス感といったポジティブな情動体験を実感することがプログラムへの関心につながり日常生活での活用を促すことが明らかとなっている（Matsushita et al, 2015）。しかしながら、普段から身体感覚の気づきが低下している者では、ネガティブな感情が低下せず、プログラムの効果や意味を感じられないということも明らかとなった。そのような者に対しては、１回だけの体験ではなく、もう少し丁寧で継続的な実習体験が必要とされる。これはコミュニケーションスキルなどでも同様で、実際にコミュニケーションをとる場面でポジティブな情動体験が実感できると、積極性を高めることができるだろう。そのため、ICTを用いた学習と授業やワークショップなどの実体験との連動をはかっていきながら、eラーニング教材の限界に対応していかねばならない。

先に紹介したMonash大学のセルフケアの健康教育において、2013年にCraig博士に授業のコツを尋ねたところ、科学的な説明に基づくレクチャーを行うこと、マインドフルネスに詳しいチューターを小グループに配置し、毎週の宿題にフィードバックを与えること、マインドフルネスの実習は強要せずに自分でやってみたいと思わせること、などの工夫が話された。大学生全体や大学職員に向けた、Mindfulness for Academic Successなどのワークショップもあり、学業や研究の成果に結びつけられていることも印象的であった。2015年にイギリスのLeeds大学の学生相談機関を訪ねた際も、Web上でマインドフルネスプログラムを提供したり（マインドフルネスの呼吸法の教示音声が流される）、学内のスポーツ施設の利用と連動したうつ病の治療プログラムといった取り組みにより、より多くの大学生を対象にサービスが提供されていた。大学教育や学生相談において、心身のリラクセーションや対人コミュニケーションのワークを行う際には、楽しさや安心感といったポジティブな情動体験が得られるように考えていく必要があるだろう。

５．まとめと今後の展望

新たな e ラーニング教材もオンラインツールも、実際に作成し利用してみなければ、その良さも悪さも、便利さも不具合さも分からないものである。大学教育や学生相談においても、ICT を活用した手段を模索していくことは重要であると思う。オンライン授業だけでは大学生活が味気ないものとなってしまうが、オンライン授業をやってみてはじめて気づいた新たな視点もあった。これまでとは違う教材の利用や呈示の仕方、これまでとは異なる学生の授業への参画の仕方など、オンラインによるメリットもある。また、現在のコロナ禍における学生相談において、一度も会ったことがないまま電話だけで話している学生との対話や、Web 面談でチャット機能を使っている学生とやりとり、オンラインだからできる学生同士のつながり（学生相談室においてオンライン座談会を試行している）など、それぞれのツールの良さも実感している。

最近では、LINE などの SNS を用いた相談活動も行われてきていると聞く。そして、10～20代では電話よりも圧倒的にニーズが高いものらしい。利用者の目線で考えると、対面とオンラインはどちらがよいか、電話相談と SNS を使った相談はどちらがよいか、個別相談と e ラーニング教材はどちらがよいかということは、相談内容や相談者が置かれている状況によって異なるだろう。多様な学生が多様な学びや支援の在り方を求めている時代において、新たなツールを用いていくことは、多様性という観点から歓迎されるべきものではないだろうか。それらは、対面の授業や相談に取って代わるものではなく、新たなツールの１つとして、その存在価値はあるものと思われる。

文　献

A.Shechter, F. Diaz, et al., 2020. Psychological distress, coping behaviors, and preferences for support among New York healthcare workers during the COVID-19 pandemic. *General Hospital Psychiatry* 66, 1-8.

Cornish, P. A., Berry, G., Benton, S., et al., 2017. Meeting the mental health needs of today's college student: Reinventing services through Stepped Care 2.0. *Psychological Services, 14*(4), 428-442.

Craig Hassed, A Steven de Lisle, et al. Enhancing the health of medical students: outcomes of an integrated mindfulness and lifestyle program. *Adv in Health Sci Educ*. 2009 14: 387-398 DOI 10. 1007/s10459-008-9125-3

福盛英明，高野明，松下智子．2017．学生相談とテクノロジー．九州大学学生相談室紀要・報告書，４：83-91.

Jade KY Chan, MSc; Louise M Farrer, et al. University Students' Views on the Perceived Benefits and Drawbacks of Seeking Help for Mental Health Problems on the Internet: A Qualitative Study. *JMIR Hum Factors*. 2017 Jan 19;3(1):e3

Kathleen Kara Fitzpatrick, Alison Darcy, and Molly Vierhile. Delivering Cognitive Behavior Therapy to Young Adults With Symptoms of Depression and Anxiety Using a Fully Automated Conversational Agent (Woebot): A Randomized Controlled Trial. *JMIR Ment Health*. 2017 Jun 6;4(2) https://www.ncbi.nlm.nih.gov/pmc/articles/PMC5478797/

Matsushita Tomoko, Takayanagi Shigemi, et al. Self-care program as a mind/body therapy to improve health for university students and first year nurses in Japan. The 14th European congress of Psychology, 2015. 07. 10.

松下智子，福盛英明，高柳茂美，梶谷康介，李暁燕，小田真二，舩津文香．2019．大学生のストレス対処能力を高める e-ラーニングプログラムの開発――経過報告――．九州大学学生相談室紀要・報告書，５，55-64.

Mogamat RD, Usuf M.R.C, and Mitchell L.H, Effect of improving the usability of an e-learning resource: a randomized trial. *Adv Physiol Educ*. 2014 Jun;38(2):155-60. https://www.ncbi.nlm.nih.gov/pmc/articles/PMC4056166/

高柳茂美，松下智子，福盛英明，杉山佳生，熊谷秋三，2020．大学生のセルフケア能力向上プログラムの開発――健康・スポーツ科目におけるストレス対処スキルトレーニングの実践．基幹教育紀要，６，3-15.

Winnie WS Mak, Floria HN Chio,et al. The Efficacy of Internet-Based Mindfulness Training and Cognitive-Behavioral Training With Telephone Support in the Enhancement of Mental Health Among College Students and Young Working Adults: Randomized Controlled Trial. *J Med Internet Res*. 2017 Mar 22;19(3) https://www.ncbi.nlm.nih.gov/pmc/articles/PMC5382258/

第２章

他大学出身の大学院入学者に向けた心理的支援

小田　真二

1　はじめに

九州大学における他大学出身の大学院生への支援は2014年度より開始された。そこには、それまでの学生相談の経験から学生相談担当者の実感として彼らに特有の適応の難しさがあるとの推察があった。しかし何かはっきりした根拠があるわけではなく、正直なところ、探索的なかたちでの支援の始まりだったことをここで断っておかなければならない。しかも、本支援の主担当となった筆者は2014年１月に入職しており、先に述べた学生相談担当者の実感は筆者個人のものではなく、学生相談部門としての総意であった。

その後、小さく始めた取り組みにおいて、当事者たちの声を丁寧に聴きとり、それを生かすための種々の改善や工夫をプログラムに反映させていった。そして実施年度が重なる中で、本支援の学内での認知は進み、たくさんの参加者を得られるまでに大きく育った。支援やアンケート調査を重ねてわかったことは、やはり他大学出身の大学院入学者は適応に苦労しており適切な支援を必要としているということであった。つまり、学生相談担当者としての実感は間違っていなかったのである。

ここでは2014～2019年度の本支援実践を振り返り、併せて実践上の工夫などについて伝えていきたいと思う。

（1）九州大学における他大学出身の大学院入学者の状況と進学の目的

九州大学は、約19,000人の学生が在籍し（うち、大学院生は約7,000人）、11の学部、18の研究院を有する大規模・研究型の大学である。大学院入学者の中には学部時代を別の大学で過ごし、大学院から九州大学に入学してくる「他大学出身の大学院生」は少なくない。九州大学の2017年４月の入学者統計によれば、「他大学」出身の数は、修士課程307人（16.9%）、専門職学位課程96人（75.6%）、博士後期課程137人（24.6%）、合計540人（21.6%）となっており、加えて「その他」に含まれる外国の学校を卒業した留学生や社会人経験者の数を含めると、さらにその数は多くなり、全体の約30%に及ぶ。

こうした特徴は九州大学に限ったことではなく、1990年代以降の“大学院重点化”による大学院の定員増加に伴い、大学院進学時における高等教育機関をまたぐ形での学生の移動は増加傾向にあり（学校基本調査）、特に大規模・研究型の大学においてはその傾向が顕著である（文部科学省, 2010）。

学部時代とは異なる大学院に進学することにはどのような目的や意義があるのだろうか。文部科学省（2010）によれば、「研究に専念できる時間が確保されている」「研究機器や実験設備が整備されている」「適切な研究指導が受けられる」ことを評価して別の大学の大学院へ進学している。しかし大学院進学時における高等教育機関の移動に関する調査や分析はこれ以外にはほとんど行われておらず、学生相談領域の研究においてもほとんど検討されてきていない。

（2）大学院学生期の特徴

そもそも、大学院学生期はどのような時期にあたるだろうか。大学院課程には、修士課程（博士前期課程）２年間およびその後の博士課程（博士後期課程）３年間が含まれ、この時期の学生は「研究者・技術者としての自己形成」が課題となる（鶴田, 2001）。つまり大学院生は、授業を受け単位を取得するのみならず、自分の研究テーマを定めそれに取り組み成果を論文化・発表するという研究の側面や、インターン等を積極的に活用して卒業後の自身のキャリアを構築する就職活動に関する側面など実に多様な取り組みを求められ、非常に忙しいストレスフルな生活を強いられやすい。また、彼らの学生生活は、入学早々から研究室という非常に狭い世界の中で展開することが多く、極端な場合、下宿先と大学との往復で生活が終始してしまうことも少なくない。そのため、学部時代よりも大学院生の適応は困難になりやすいと考えられている（斎藤ら,2006）。

（3）他大学出身の大学院生のチャレンジとリスク

ましてや学部時代のコミュニティから離れた生活を送ることの多い他大学出身の大学院生の場合、その適応は一層困難であることが予想される。先の文部科学省（2010）の調査にあるように、彼らはチャレンジして新たな環境での学生生活を始めようとしているわけだが、学部時代の慣れ親しんだコミュニティを後にして新たなコミュニティに移行することには相応のリスクや困難さがあると思われる。だが先行研究ではまだ十分に明らかになっていない。現状においては、他大学出身者の置かれた状況を知る手がかりや彼らの支援に関する知恵は、彼らと頻繁に接する者の中に“実践知”としてあると言えるかもしれない。それは指導教員であれば、「この学生はまだ不慣れだろうから研究はじっくりやってもらったらよい」といった指導上の配慮であったり、学生相談担当者であれば来談学生とのやりとりから感じられる他大学出身者にみられる特有の適応の難しさへの眼差しなどである。しかし、彼らのニーズを適切に理解し、支援するためには、彼らの声をよりしっかりと捉え、可能であればその定量的な把握と分析を加えることが必要であると考えられた。

2　九州大学における他大学出身の大学院生への支援の取り組み

上記の観点に基づき2014年度より開始されたのが九州大学における他大学出身の大学院生への支援の取り組みである。本支援は、各年度４月に行う入学時支援を中心に展開した。また各年度の参加者数の結果や参加者から寄せられた声、会議等での教職員からのフィードバックを経て、年度ごとに実施方法の工夫や改善を重ねたため、ここではその年度推移も併せて紹介する。

（1）支援の概要

1）実施目的

①　大学院入学に伴う適応上の困難が予想される、他大学、他分野、及び海

外からの大学院入学者向けのオリエンテーションを行うことで適応支援を図る。

② 学内の相談窓口及び相談員の周知を図ることで、将来修学・生活上の困難が生じた際に相談機関を利用しやすい関係性を構築する。

③ 同じ境遇の学生同士がつながり支え合う場を提供する。(先輩との縦のつながりを含む)

なお、ここで述べた目的はすべて実践初期から明確にあったものではなく実施年度を重ねるなかで明確化されていった。

２）参加対象者

参加対象者は、留学生を含む、他大学出身の大学院入学者（修士課程および博士後期課程）であり、任意での参加を呼びかけた。九州大学の該当者数は、年度により若干異なるが、概ね修士課程が約400名（うち留学生10数名)、博士後期課程が約550名（うち留学生約120名）で、大学院入学者に占める割合は約30％であった。

３）実施担当者

今回の支援は九州大学キャンパスライフ・健康支援センターを主催者として行われ、実務は学生相談常勤カウンセラー６名（うち、１名は留学生センター所属）が担当した。九州大学は分散キャンパスのため６名で各地区を分担した。

４）実施年度・日時と会場の設定

実施年度は2014～19年度の６年間であった。実施日は各年度の４月の第２週に行われ、これは九州大学では授業開始の週にあたる。各地区事務の協力を得て、部局の説明会等と重ならない日程で、参加見込数を勘案し会場を設定した。時間帯は概ね大学の５時限目にあたる16:40～18:10を中心に設定した。

５）広報

実施の広報はチラシを主な媒体とした。チラシの内容やその広報を誰に依頼するかは参加者数を左右する重要な要因と考えられ、実践上、最も留意したポイントと言ってよい。今回使用したチラシは「他大学（高専等を含む）・他分野からの大学院入学者向けオリエンテーションの開催」というタイトルで、主催者、各地区の実施日時や会場を明記した。基本的なフォーマットは崩さないようにしつつ、年度ごとに修正を重ねた。加えて、チラシの周知を依頼するキーパーソンの選定も極めて重要であり、参加者数の結果を踏まえて最良の形を模索する必要があった。その詳細は「年度別結果の推移」の箇所で述べる。

６）支援内容と当日の流れ

当日の流れは概ね前半と後半の二部構成となっていた。

前半は、情報提供のためのオリエンテーションを行った。まず実施担当者が自己紹介を行なった後、配布資料に基づき情報提供を行った。配布資料には、本支援の実施目的、九州大学に関する基本情報（規模や特徴など）、他大学出身者が抱えやすい悩み、学内相談機関の情報、大学周辺の飲食店情報を記載した。これらは、入学間もない彼らの学内外の生活を円滑にするために有用と思われる情報の提供である。なお、資料内容は各年度の参加者の声を反映させて毎年度更新した。

後半は、実施担当者と参加者、参加者同士が交流や意見交換を行い、大学院入学後の新しい環境への適応で困ることや問題を洗い出し、解決する手段等があればその情報をシェアし問題解決を図った。後半のグループ展開は当日の参加人数により異なり、参加が多いキャンパスの場合、参加者だけの４～５人の小グループをつくり、グループ内で自己紹介をした上で自由な交流を行った。実施担当者は適宜全体に質問を投げかけ、グループから出た疑問などに応えた。具体的な情報を提示できる場合には大学 Web サイトを示すなどして説明を行った。一方、参加が少ない場合は、実施担当者と参加者が車座になり、それぞれが自己紹介を行ったのち、実施担当者がファシリテートする形で意見交換を行い、適応支援や問題解決を図った。実施時間は60～90分であり、時間内に参加者には任意での参加者登録（名前、所属、メールアドレス）を依頼した。この情報は後述する懇親会の案内やアンケート調査をオンラインで実施する際に使用した。なお、会場の雰囲気を和らげ、参加者間の談話を促すために会場に飲み物と菓子を準備した。

７）フォローアップと報告

初年度は１地区で２回目（７月）を開催し、参加者のその後の状況を把握し、取り組みの改善に向け意見を聴取した。３年目以降は各年度の５月、及び可能なら秋頃にも懇親会（飲み会）を開催し、参加者が他地区の参加者と交流できる場を設定した。また、実施結果は毎年度、二つの全学会議及び部局の学生相談教員との連絡会で報告した。なお、学生相談教員とは、修学上の問題を抱えた学生の支援にあたり、学生相談室が部局と連携を取る際に窓口となる教員であり、各年度、連携会議等で顔合わせ・情報共有を行っている。

（2）年度別結果の推移

年度別の各地区の参加者の延べ人数の推移を表１に示した。参加者は年度を経るごとに、ある時は緩やかに、あるときは急激に増加した。以下に、各年度の実施概要と実践上の工夫について述べる。

表１　オリエンテーション参加者数の年度別結果

地区	参加人数（内数：留学生）					
	2014	2015	2016	2017	2018*	2019
大橋	1（0）	0（0）	3（0）	5（ 0）	1	5（0）
伊都ウエスト	1（0）	1（0）	—	33（ 1）	61	68（3）
伊都センター	9（4）	5（0）	42（2）	4（ 1）	7	32（6）
馬出	—	—	—	—	—	1（0）
筑紫	2（0）	5（0）	11（0）	17（ 1）	20	28（0）
箱崎	3（0）	13（0）	30（7）	30（ 6）	10	—
先輩の参加	—	—	1（0）	4（ 1）	3	0（0）
計	16（4）	24（0）	87（9）	93（10）	102	134（9）

* 2018年度の留学生情報は未取得

【2014年度】１年目は、広報として４月の定期健康診断時にチラシを配布し、また各部局の学生係に掲示を依頼した。５地区（箱崎、伊都センター、大橋、筑紫、伊都ウエスト）で開催の結果、各地区０～９名、計16名（うち

留学生４名）が参加した。該当者数に照らせば、参加者の数は少ないと言えるが、センターとして新たな取り組みを開始することができた。実践を通して、参加者から直接声を聞けたことは意義深く、具体的には「専攻の履修説明が簡略すぎる」「生活に関する基本的なガイダンスがなさすぎる（例えば図書館の利用、学内 Wi-Fi の設定の仕方）」などの声が聞かれた。また年度内の継続的な取り組みを求める声も寄せられた。初年度の実践を終えて、実施上の課題は参加者数の少なさであり、広報の改善が強く求められた。

【2015年度】広報は１年目の方法に加え、各部局の学生相談教員及び研究科長を各部局のキーパーソンに定め、センター所掌の事務を通じてメールで広報依頼する形をとった。５地区（筑紫、伊都センター、箱崎、大橋、伊都ウエスト）で開催の結果、各地区０～13名、計24名（留学生なし）が参加した。参加者とのやりとりから、教員に促されての参加が多いことがわかり、広報改善の若干の手応えを感じた。一方で、参加者が０の地区や学府もあった。参加者数が少ない場合、どうしても実施担当者側からの一方的な情報伝達の色合いが強くなり、同じ境遇の者同士が出会い交流する機会や雰囲気が損なわれてしまう。したがって、ある程度の人数の参加は必要であり、広報について更なる改善が求められた。他方、参加学生からは、「大学院生が音楽やスポーツをできる場所や集まりがあるとよい」といった希望や、今後何らかの「継続的な取り組みがあれば参加したい」という声が昨年度と同様に聞かれた。

【2016年度】広報に関して、あまり効果が見込めなかった定期健康診断時のチラシ配布をやめ、メール依頼を継続しさらに手厚くした。具体的には、①センター所掌事務からのメール送信をやめ実施担当者（筆者）からメール送信する形に変更し、②メールの宛名に所属部局と教員名を書くよう一手間かけた。この依頼方法はこれまでの広報からの大きな転換であり、参加者増大というブレイクスルーをもたらしたと考えられる。実際、４地区（筑紫、伊都センター、箱崎、大橋）で開催の結果、各地区３～42名、先輩１名を含む計87名（うち留学生９名）の参加が得られ、参加者は大幅に増加した。中でも42名と参加の多かった伊都センターは会場となった講義室が参加者で一杯となり、本支援の取り組みが該当者にしっかりと届いていることを実感できた瞬間だった。会場の様子を図１に示す。本支援の情報を知ったルートについて参加者に尋ねてみると、専攻等の「説明会で聞きました」と答えた者が

多く、やはり学生相談教員の部局での周知が効いていることがわかり、キーパーソンの選定に確信が持てた。当日の会場の様子は、非常に盛り上がり打ち解けた雰囲気で、学生同士で連絡先を交換する様子が至る所でみられた。他方で、これはある意味嬉しい悩みだが、人数が増えたことで、学生の生の声を聞く機会が減ったことや後半部のグループの運営をどうするかといった新たな課題も生まれた。加えて、３年目に入りようやく実践できたこととして、これまで継続的な取り組みを希望する声が多かったのに応えて、フォローアップ企画として懇親会（飲み会）を５月と９月に実施し、計27名（先輩２名を含むが先輩参加の良さは2017年度において記述する）が参加した。懇親会に参加する者は、さまざまな地区や学府から集まるため、普段過ごす地区や所属の垣根を超えて同じ境遇の者同士が出会い、交流する機会になったと考えられる。懇親会の会場は箱崎の九大生御用達の居酒屋の二階であり、会場の雰囲気と相まって非常に和やかな打ち解けた雰囲気で時間が過ごせた。いつまでも学生が名残惜しそうに帰らなかったことが印象深い。

図１　会場の様子

【2017年度】広報は前年度の方法を基本的に踏襲したが、研究院長へのメール依頼をやめ省力化し、学生相談教員とのメールのやりとりに注力した。このメール依頼は年度がわり直後に行われるため、部局によっては学生相談教員が代わっていることも多く、引継ぎを含め各部局での広報を丁寧に行って

もらえるように努めた。他方、実施担当者側も年度はじめは定期健康診断等の対応に追われる時期であり、その時期のメールの膨大さや広報のせわしなさは、「また今年も他大学出身の取り組みが始るのだ」ということを実感させた。2017年度は、５地区（箱崎、大橋、伊都ウエスト、筑紫、伊都センター）で開催の結果、各地区４～33名、先輩４名を含む計93名（うち留学生10名）が参加した。前年度と同様に多数の参加者が得られ、広報の手応えを感じるとともに、会場の雰囲気は昨年度と同様に大変よかった。一方で、参加学生が増えたことで、いよいよ聴取が難しくなった学生の意見にどうアクセスしていくのか、別の手立てが必要と感じられた。具体的には次年度よりアンケート調査の実施を検討することとした。またこの年度は、声をかけた先輩４名（うち１名は内部出身者）がはじめてオリエンテーションに参加した記念する年度となった。同じような悩みや問題を抱えたであろう先輩が登場し、その苦悩や現状、適応の工夫を語る。彼らの語りは本当に素晴らしく、自分の言葉で率直に語る彼らの姿はいかほど参加者を励ましたであろうか。当事者の声はやはり重く、当事者同士にしかわからないこともあると感じた。今回先輩が参加したことで、これまでの「横のつながり」に加えて、「縦のつながり」も生まれ、支援としてさらに厚みを増すことができた。フォローアップの懇親会も24名（先輩１名を含む）が参加し、参加した学生にとっては、前年度と同様に様々な地区や学府の学生と出会い、知り合う機会となったと思われる。

【2018年度】広報は前年度を踏襲した。チラシは年度結果を受けて加筆修正を繰り返してきたが、この年度で一応の完成をみたと感じられた。参考資料として図２に示す。５地区（箱崎、大橋、伊都ウエスト、筑紫、伊都センター）で開催の結果、各地区１～61名、先輩３名を含む計102名が参加した。オリエンテーション自体の雰囲気は前年度と同様の打ち解けたよい雰囲気であり、この年度も先輩が参加したことで縦の繋がりがよく機能した。またこの年度より、任意の参加者登録をオンライン登録に切替え、またオンラインのアンケート調査を開始した。具体的には、Google 社の Google フォームを用いたものであり、配布資料に実施の目的や聴取した情報の利用方法、QR コード等を用いた実際のアクセス方法などを記載した。参加者には任意で協力を求め、オンラインでの参加登録者数は77名（登録率は75.8％）、アンケー

トへの回答者数は73名（回答率73.7%）であった。アンケート結果については紙幅の関係もありその詳細は小田ら（2019）を参照してもらいたいが、他大学出身者は予想した通り適応に苦労しており、その理由としては、「九州大学や学生生活の基本情報を知らない」といった情報の不足や、「普段に話す人がいない」といった対人的なネットワークの不足を挙げる者が多かった。またオリエンテーションに参加してよかったと答えた者が多数を占めており、実施担当者としては大変に嬉しい。加えて、同じ年度の１月（冬）に同じくGoogleフォームを用いて追跡調査した結果、18名から回答が得られ、オリエンテーション参加により平均して3.94人の知り合いを増やす効果があり、しかもその付き合いの約３割は調査時点の１月まで続いていていることがわかった。一方、懇親会については、案内をオンライン登録で取得したメールアドレスを利用してメール配信した。結果として21名が懇親会に参加し、参加した学生にとっては他地区の学生を含めた様々な学生と出会う場となった。

図２　オリエンテーションのチラシ（2018）

【2019年度】広報は前年度を踏襲した。５地区（大橋、伊都ウエスト、馬出、伊都センター、筑紫）で開催の結果、各地区１～68名、計134名が参加した。オリエンテーション中の雰囲気は例年通り良かった。会場によっては参加者で一杯になり、もう少し席に余裕のある会場設定が必要と考えられた。懇親会は44名が参加した。残念ながらこの年度においては、先輩の参加は無く、有効なサポーターである先輩をどのように確保するのかが今後の課題として残った。本支援が展開する４月の早い時期は、前年度の入学者・参加者にとっては就職活動に励む時期と重なる。実際、こちらからのメール依頼に

対して「できれば参加したかったが就職活動のために参加できない」と丁寧に返信をくれる先輩学生もあり、時期的な難しさをどのように工夫して対処するのか思案のしどころと感じる。他方、オンラインでの参加者登録、アンケート調査はこの年度も継続した。アンケート調査結果について詳細は割愛するが、2018年度の調査結果と同様に、他大学出身者の適応の難しさを示す結果であり、そうした中で、オリエンテーションへの参加が対人関係を広げる効果があることを示していた。具体的には、オリエンテーション参加により平均して4.26人の知り合いを増やし、しかもその付き合いは、追跡調査時の１月まで約半数の52.17％が続いていた。

3　まとめ

上記述べてきたように、他大学出身の大学院生に特化した形での支援を、全国の大学、学生相談機関に先駆けて展開できたことは一定の意義があると考えられる。また支援の中身に関しても、時に参加者の叱咤激励をもらいながら、毎年度ごとに創意工夫を重ねた結果、年々オリエンテーションの参加者を増加させることができ、入学後の早い段階で必要な対象に必要な情報を提供できるようになった。またオリエンテーションは同じ境遇の者同士が出会い支え合う場としても機能し、他大学出身者が抱えるリスクの一つである対人関係の不足に対して具体的なアプローチとして機能したと考えられる。

このように、本支援が軌道に乗るかに見えた最中に起きたのが新型コロナウイルス感染症の感染拡大である。残念ながら、本支援の取り組みも2020年度においてはすべて中止を余儀なくされた。本支援のような予防的取り組みが実施できないことによる学生への影響は全く測り知れないが、大学や学生相談が新たな形を求められているように、他大学出身の大学院生の支援においても、Web 掲示板の導入やウェビナーの実施など新たな形を検討する必要性を強く感じている。今後の課題としたい。

文　献

文部科学省　学校基本調査. https://www.mext.go.jp/b_menu/toukei/chousa01/kihon/1267995.htm　2020年３月26日取得

文部科学省・科学技術政策研究所第１調査研究グループ（加藤真紀・茶山秀一） 2010 大学院進学時における高等教育機関間の学生移動 ── 大規模研究型大学で学ぶ理工系修士学生の移動機会と課題 ──.

小田信二・高松里・福盛英明・船津文香・松下智子・吉良安之　2019　他大学出身の大学院入学者に向けた心理的支援：2017-18年度の実践から．九州大学学生相談紀要, 5, 29-36.

斎藤秀光・吉武清實・海老名幸雄・山崎尚人・飛田渉・松岡洋夫　2006　本学学生のメンタルヘルスに関する最近の動向．東北大学高等教育開発推進センター紀要. 1, 215-218.

鶴田和美　2001　学生生活サイクルとは．鶴田和美編　学生のための心理相談．培風館.

第3章

学生相談における時間管理講座導入の試み

舩津　文香

1．はじめに

ここでは、学生相談室で2017年から取り組んでいるライフスキル獲得のためのワークショップ型プログラムである「時間管理講座」の学生相談における導入について記述したい。「時間管理講座」は、生活リズムの維持や課題の提出などにまつわる時間管理の苦手さによって学生生活に支障を感じている学生のためのプログラムである。このプログラムはこれまでに４回の実施を試みているが、現在も試行錯誤しながら実施したり構想を固めている途中段階にあり、まだ完成したプログラムがあるわけではない。ここでは、私がこの講座に着手するに至ったプロセスやその際に考えていたこと、この講座での拙いチャレンジについて述べたいと思う。

2．時間管理が苦手な学生への支援的介入

私が九州大学での学生相談に従事するようになったのは2016年度からであるが、初年度に抱いた印象は、発達の特性に由来した困りごとの相談が、それまでの臨床で得ていた感覚から想像する割合よりも多いということであった。中でも、時間管理が苦手なことから期日までに課題を提出することができず、授業に出られなくなっていったり、大学自体に来られなくなっていっ

たりする学生たちが一定数見られた。彼らは決して怠けものでも不真面目でもないにもかかわらず、「しようしようと思っているのに課題が手につかない」「むしろきちんと課題をこなして、立派な成果を提出しようとさえ思っているのに、気づくと期日が来てしまう」「課題や試験勉強が終わらないとわかっているのにゲームをしてしまい、寝るのが遅くなって朝起きられない」というようなことが、繰り返し起きていた。詳しく尋ねると、こうした傾向は高校生のときから、もしくは中学生、小学生のころからあったという学生も多い。彼らは、高校生の時までは都度ぎりぎりに間に合わせてやり過ごしてきたため、大きな問題にまでは至らずに来たようである。しかし大学生になって授業への出席に対する強制力が弱まったり、課題の量が増えたりしたことで、手を付けられなくなり、こなせなくなってしまうようだった。さらに彼らは、こうしたことを繰り返す度にどんどん自信をなくし、「他の人はできているのに、できない自分はだらしなく、ダメな人間だ」というような思いを強くしていた。そして高校生までは「そうはいっても成績の良い方」であったことで維持していた心のバランスを、維持するのが難しくなっているようだった。

こうした学生たちの話を聞いて、確かに時間の見積もりや予定を立てて実行するのが苦手ではあるのだろうと思われたし、私自身もそれらは苦手な分野であったためにいたく共感するところでもあった。同時に、元来優秀な彼らが「自分は人のできることができない、だらしなく心弱い人間」と感じてエネルギーを失っていくことはとても勿体なく感じられ、私は通常のカウンセリングだけではなく、何かプラスアルファの支援ができないものだろうかという思いを強くしていた。

3．当時行われていたレクチャー型グループと、時間管理プログラムとの出会い

当時学生相談室では、特に初年次に不適応状態になりやすい学生を対象とした予防的取り組みとして、「大学生活に慣れよう講座」と題して、大学に入った後で起こりやすいテーマに対して心理学の知見から短いレクチャーをする小グループの試みを、先輩の常勤カウンセラーの先生方が始めていたところであった。2016年度に実施された講座は、「①生活リズムの作り方—勉

強時間を確保するには？—」、「②人間関係の心理学—第一印象や親近感はどう作られるか？—」、「③ストレス対処法—効果的に安い集中力を高めるには？—」、というそれぞれのテーマについて60分程度でレクチャーやワークを行うものだった。対象は、主に来談中の学生の中でもテーマに該当する学生で、「①生活リズムの作り方」のセッションでは、先延ばしをしない方法などの内容も含まれていた。

またちょうどその頃、私は友人である稲田尚子氏と中島美鈴氏から、成人の ADHD（Attention-deficit Hyperactivity disorder: 注意欠如多動症）の時間管理に焦点化したプログラムに関する、出版されたばかりのワークブックを頂戴した。これは海外でエビデンスが確認された成人 ADHD を対象とした認知行動療法の中でも時間管理に関するエッセンスをもとに日本人向けに著されたもので、さらに中島氏・稲田氏ら研究グループがこれを用いた時間管理プログラムのパイロットスタディを東京と福岡において実施しているところであった。私は見学をさせてもらえないかとお願いし、福岡で実施されているこのプログラムを数回見せてもらうことができた。見学させてもらったグループはとても印象的で、メンバーの熱心なディスカッションとともに進行し、認知行動療法のグループであると同時にそこには生き生きとした力動が繰り広げられていた。タイムマネージメントの苦手さから自信をなくしておられたメンバーが、笑顔でグループを終了されていて、こんなプログラムを学生たちに提供できないだろうかという気持ちが高まった体験である。このような流れから、2017年から実施する新入生のためのグループの中で、時間管理について扱うコンテンツを担当させてもらうこととなり、大学生のための時間管理プログラムを構想し始めることとなった。

４．学生相談における、大学生のためのプログラムを構想する

とはいえ、私はこのようなグループを行うことには不安でいっぱいだった。というのは、私はこれまでの臨床活動の中で、グループについては正式なトレーニングを受けたこともなく、グループを扱うことについての経験も学びも少なかったからである。また、私は力動的なアプローチをベースに学んできたため、認知行動療法については資格試験の勉強で得た程度の知識しかな

く、勉強を始めたばかりの身でプログラムを構想するなどということがおこがましいように思われた。そのような中、手探りで2017年度の心理学講座を実施してみた後で、ワークブックを作成した一人である帝京大学の稲田氏に、一緒に大学生用のプログラムを作らないかと声をかけてもらったのである。稲田氏は、このプログラムが治療的なだけでなく、大学生にとって教育的・予防的にも有意義なものであると考えていた。Solanto（2011）のプログラムにおけるストラテジーは、ADHDの特性へのアプローチを通して、人がどのような機能を働かせて時間管理を行っているかを明らかにし、実に親切に解説しているとも言える。そのため、時間管理の特に苦手な人にとっては支援的な、苦手さの程度が低い人にとっても生活をよりスムーズにすることができるようなチップが詰まっていた。私たちはその後の打ち合わせで、プログラムをいずれは大学生の色々な層に役に立つものにしたいと話し合った。さらに、群馬大学で発達障害等の学生への自己管理等の支援及び研究に携わっているの五味洋一氏とも協働して、大学生の時間管理プログラムを考えて行くこととなったのである。

ここで、海外での成人ADHDの認知行動療法の実践として代表的なSolanto（2011）のプログラムと、中島・稲田（2017）のプログラムについて概要を紹介したい。表はそれぞれの内容を舩津が抜粋し、簡易的にまとめたものである。

Solanto（2011）のプログラムは、ADHDの疫学研究によって得られたエビデンスを元に、その特性にスポットライトを当てて構成されているため、時間管理の苦手な学生たちへ支援のヒントが盛りだくさんであった。ADHDの実行機能障害や強化（報酬）に対する感受性の低さ、アウトプットにおける障害（重い腰を上げて物事を始めることが著しく苦手であること）などへの対処方略として、系統立てスキル訓練の考え方や、障害そのものを改善しようとするのではなく苦手さを補完するための様々な工夫が、緻密に、そして戦略的に盛り込まれている。例えばスケジュール帳を使ってすべきことを予定に組み込み優先順位をつける方法、集中を妨げるものを最小限にすること、望ましい行動と強化子（報酬）をセットに計画立てる方法（随伴性自己強化)、難しい課題を分解して対処しやすくするスキルなどである。中島・稲田（2017）のワークブックは、これを８回に凝縮し、日本人が適用しやすい具体的な場

表１．Solanto（2011）のプログラムの抜粋とまとめ

	テーマ	内容	宿題
#1	診断と折り合いをつけ、成長を目指す	目標の確認と進め方の紹介	診断と向き合い目標設定し、自身について振りかえる
#2	時間の管理１	スケジュール帳を選ぶ、スケジュールを組む	時間の見積もりと記録をするエクササイズ
#3	時間の管理２	仕事の分解、随伴性自己強化	タスクの時間の見積もり・計画・実行し報酬を与えるエクササイズ
#4	時間の管理３	優先順位付けと to do list	to do list 作成と優先順位付け
#5	時間の管理４	認知の歪みの修正	自動思考の同定と反論
#6	時間の管理５	活性化と動機づけの練習	長期的なタスクの同定と細分化
#7	整理する１	整理整頓のシステム作り	整理整頓場所を決め、最初のエリアに取り掛かる計画を立て実行
#8	整理する２	整理整頓のシステムの実行	整理する次のエリアの計画を立てて実行
#9	整理する３	整理整頓のシステムの維持	整理する最後のエリアの計画を立てて実行、維持する計画を立てる
#10	計画を立て、やり遂げる！	計画の立て方	１～２週間で取り組むタスクの計画を立てる
#11	計画を立てる	計画の実行	計画を実行する
#12	将来に目を向ける	まとめと振り返り	

表２．中島・稲田（2017）のプログラムの抜粋とまとめ

	テーマ	内容	宿題
#1	ADHD タイプが時間に追われる理由を知ろう	ADHD の理解・目標設定	スケジュール帳の購入
#2	夜更かしをやめる／やる気を出す方法を学ぶ	報酬の設定 やりたいことリストの作成	睡眠時間の記録 朝の時間のタイムログ
#3	気持ちの良い朝を過ごそう	時間の見積もり 朝準備セットの計画	実際の朝時間の記録 朝準備セットの作成
#4	忙しい夕方のバタバタを乗り切ろう	夕方の to do list 作成 夕方時間の計画の作成	実際の夕方時間の記録 連続3日間のタイムログ
#5	日中を効率よく過ごそう	１日のスケジュール作成 すきま時間の活用 優先順位付け	連続3日間の予定と実際
#6	面倒なことに重い腰を上げよう	連続３日間の振り返り 自己活性化のテクニック 大きな仕事の分解と計画	大きな仕事の計画の実行
#7	あとまわし癖を克服しよう	あとまわし克服のテクニック あとまわしにしていることを実行するための計画	あとまわしにしていることの実行
#8	これからの自分とのつきあい方	目標の振り返り、スキルの振り返り	

面を想定した非常に丁寧な内容となっている。

この中でも特に、スケジュール帳を使ってタスクや時間を視覚化する方法は、大学生にもすぐにでも取り入れられると思われた。学生たちの中には、自然と視覚化による管理を身に着けている人もいれば、スケジュール帳やタスク管理アプリを使ってみてはいるが、「何を書いたら良いのかわからない」「アプリを入れては見たけど見ない」など、うまく使いこなせていない人も多かったからである。また、タスクを分解するという視点も、学生たちには役立つだろうと思われた。課題が手につかない学生の多くは、課題の作業量や達成にかかる時間がイメージの中で大きく膨らみ、到底手の付けられない恐ろしいものになってしまっていることが想定されたため、それらを着手可能なものに変えるヒントになるだろうと思われたのである。

5．「学生相談」において適用する際の課題

さて、しかし Solanto や中島・稲田のワークブックを学生たちに汎用させるには多くの課題があった。主には、以下の３点である。

1）　診断の有無と、「ADHD のための」とするかどうか

一つ目は、診断についての記述の問題である。これらのワークブックは、対象者が ADHD の診断のある患者さんたち、もしくはご自分が ADHD だと感じている方たちで、プログラムの中では ADHD であることの受け入れや、ADHD がどのような障害であるかのレクチャーが重要な役割の一つを担っている。しかし学生相談において対象としたい学生は自己管理や時間管理に困っている人たちではあったが、必ずしも ADHD の診断を受けてはいないし、診断基準を満たさないであろう学生もいた。また自分の苦手さについて障害という発想がない学生も、もちろん多くいた。そのため私はプログラムの中で ADHD という言葉は使いたくなかった（使えなかった）が、一方で「その苦手さが対処可能な特性であり、人間的な未熟さや‘こころの弱さ’ではない」ということは学生たちに伝えたかった。

この‘発達障害の傾向や特性を有しているように思われるが未診断の学生’への支援は、山下（2011）、篠田（2013）も指摘しているように、日々の臨床

の中ではデリケートな局面の一つである。2013年に障害者差別解消法が施行されてから、高等教育において合理的配慮のシステム整備が進められ、現在は九州大学においても様々な障害を持つ学生が平等な機会の下で修学できる支援体制の構築が進められている。発達障害の学生たちも、その特性によって修学に困難が生じる場合、均等な機会を得るための配慮を求めることができる。しかし九州大学では配慮を受ける根拠として、また配慮する側の教員の理解のため、配慮の申請には「診断が付いている」ことが必要とされることがほとんどである。

来談する学生たちの中には、「自分のこうしたところが、ADHD の症状によく当て余るように思う。自分は ADHD ではないだろうか。そうであればきちんと知りたい」といった明確な意図を持って来談する人もいる。このような、「自分は ADHD かもしれない」と思っている（疑っている）学生たちに対しては、アセスメントと診断について、またそのメリットとデメリットについて説明し、医療機関の受診をサポートすることができる。その結果 ADHD と診断される学生もいれば、「ADHD 傾向、診断閾値下」という判断される学生もいるだろう。または、自分は「自分のこうしたところが、ADHD の症状に似ているようにも思う。でも自分はそういう障害ではないと思うし、誰にでもあることだから、努力して克服するべきだ」と考えている学生たちもいる。さらに、「あなたは人が当たり前にできていることができない。それは意志が弱くだらしないからだ」と言われていたり、実際にそう思っていたりして、それは自身の性格や成熟度の問題であると考えている学生たちもいる。こうした学生たちに対して、私たちは通常、その他の状況や条件を考慮せずに、いきなり障害や合理的配慮の文脈や話を押し付けることはしないだろう。

もちろん中には、例えば発達障害の特性を有していることが明らかからしく、二次障害が深刻化して抑うつ状態から思考障害が起きているような場合など、医療との迅速な連携や環境調整が必要なケースもある。また、状況やカウンセラーとの信頼関係によっては、発達障害の可能性を伝えて受診を勧め、診断を受けて肩の荷が下りたように安心できるという人もいるだろう。しかし私は、診断のためのアセスメントは本人の困りごとと「自分について知りたい」という思いが合致して意思を持った時に、総合的に精緻に行われることが良い場合が多いと考えている。そして結果の如何にかかわらず、その前後で、アセスメントの目的や診断にまつわる対話が十分になされ、そこに伴う様々な思いを言葉にし、咀嚼されていくことが大きな意味を持つと思っている。これは多くの学生が青年期にあるということにも関連していて、彼らが自分をどのように理解し、意味づけ、受け入れ、社会に位置づけていくための準備をするかということに直接的に、そして深くかかわるからである。その結果、受診し診断と配慮を受けて学生生活を送り、中には障碍者として就労することを決める人もいれば、その後良いマッチングを叶えて一般就労をする人、診断が付いたが配慮を希望しない人、受診自体をしないことを決める人など、そこには様々な形があるだろう。または環境や状況が変化したり、自分なりの対処や方法を身につけたりすることで、苦手さが自分にとっての障害ではなくなる人もいる。学生相談において支援者である私たちは、彼らがそこに葛藤したり逡巡したり乗り越えたりするときに、共にあることが役割の一つであると思うし、その作業は時には何年もかかってプロセスする必要がある場合もある。

その一方で、学生たちには「今困っていること」が目の前に存在している。私は学生相談におけるプログラムを、その困りごとについて共に考えたり対処したりできる場にしたいと考えた。つまり診断を持っている学生でも持っていない学生でも、同じようなことに困っている学生たちを緩やかに抱えられるような枠組みを作りたかったのである。そこで、当プログラムはADHDという言葉を使わないこととし、同じことで困っていると感じている学生は誰でも参加できるものと位置付けることとした。

2）グループの形式　── ホームワークとディスカッション ──

2つ目の課題は、グループの形式である。Solantoのプログラムは、毎回のセッションで宿題が課され、次の回で成果を報告し、それについてディスカッションするということが重要なファクターとなっている。これは先にも触れた、ADHDの持つ、‘「報酬」（課題を成し遂げたら良いことがある）をモチベーションとして行動をコントロールすること’が苦手である、という特性に対するアプローチの一つと位置付けられている。つまり、グループでのディスカッションにおいて「自身の努力やアイディアを他者から称賛されること」自体を報酬として、ポジティブな行動が強化されることも目的のひとつとされているのである。しかしながらこれを学生相談で実施する場合には、そもそも「課題を期日までに遂行すること」に大きな困難さを抱える学生が、宿題を課すセッションに喜んで参加することはないように思えた。加えて学生たちの中には、授業等においてもディスカッションの存在が高いハードルになるような、コミュニケーションの苦手さも併せ持った学生もおり、このような学生たちは、ディスカッションがあると言えば参加しないだろうと思われたのである。そのためこの２要素は割愛せざるを得ないという結論に至った。

また、セッションの回数も、想定される学生たちにとっては多いように思えた。Solanto（2011）のプログラムでは12回セッションがベースとなっており、中島・稲田は先行研究における参加持続率の低さから、ドロップアウトを防ぐことを目的に８回にセッションを減らして実施していた。学生相談での実施においては、プログラムが軌道に乗った暁にはクォーター制の授業としての８回プログラムの実施という可能性も考えられたが、初めの試行的な導入として考えた場合に、長い期間にわたって学生を惹きつけ続けられるかわからなかった。

そのため、少なくともこの試行的な段階のプログラムでは、レクチャーとワークを中心とし、また回数ももともとの「大学生活に慣れよう講座」と同程度の４回の実施から始めてみることとした。

3）コンテンツの変更

もう一つの検討点は、コンテンツである。中島・稲田のワークブックの内容は、朝や夕方のバタバタをなくす方法、重い腰を上げる方法、後回しをしない方法などの普遍的なものであったが、用いられている例においては家事や育児がタスクとして想定されており、学生には適用しにくいであろうことが推察された。学生相談の文脈で実施する以上、生活面の問題もフォーカスされて良いが、具体的に学生たちが自分に当てはめてイメージしやすい内容にしたかった。

こうしてSolanto（2011）のプログラムを元に学生に実施できそうな要素を抽出し現段階で実施してきたものが、表３である。まず、ディスカッションとホームワークを割愛したため、内容は心理教育（レクチャー）と、ワーク

表３．船津・稲田・五味における時間管理４回プログラム案

	テーマ	レクチャーとワーク	要素
1	時間管理と脳のはたらき	・時間管理と脳機能との関連の理解 ・時間管理に関する困り感の特定	心理教育
2	自分の時間の使い方、自分の癖を知ろう	・スケジュール帳への書き込み →１週間のスケジュールの視覚化 ・改善点の明確化 ・to do list、Want list の作成	スケジュールの視覚化・背景についての機能分析
3	課題を取り組みやすくしてみよう	・優先順位付け ・タスク量と事案の把握 ・タスクの細分化のモデリングと練習	タスクの細分化と優先順位の設定
4	学習計画を立ててみよう	・タスクの細分化 ・スケジュールへの組み込み ・継続のための心理教育	細分化されたタスクとスケジュールとの統合・心理教育

である。心理教育部分では、「ADHD とは何か」ではなく、時間管理行動の背景や、対処するための工夫を紹介する内容を盛り込みたいと思った。特に不適応状態の契機となりやすい「課題提出」と「生活リズム」に焦点を当てて、スケジュールの視覚化、優先順位の付け方、課題の細分化の仕方についてのレクチャーと、「自分でやってみる時間」(ワーク) を設けたものとなった。

６．実施の実際

１）実施の目的

ここで実施したプログラムの目的は、「学生が苦手さの背景を知ること（人格や成熟度を責められるべきものではないことを知ること)」、「時間管理スキルが学習でき対処可能であると知ること」、とした。加えて、「困っているのが自分だけではない（仲間がいる）感じが持てる」ことも達成できると良いと考えた。

２）実施時期と参加者およびリクルート

これまでに、計４回の実施を試みてきた。実施時期および参加人数は表の通りである。2017年のみ３回の実施、以降は４回の実施で、週に１回、４週に渡って実施した。

リクルートの方法は、2017年度は学生相談室に来室中の学生で該当する学生に担当カウンセラーから声をかけ、希望者が参加した。2018年度以降は、

表４．2017年～2019年参加人数

	第１期	第２期	第３期	第４期	計
実施時期	2017年12月 ～2018年１月	2018年12月 ～2019年１月	2019年 ６月～７月	2019年 11月～12月	
参加実人数	５名	11名	８名	６名	30名
参加延べ人数	13名	33名	18名	14名	78名

チラシを掲示したり教務課に置いてもらったり、授業でアナウンスをしたりして来談者以外の学生にも参加を募った。参加者の多くは来談中の学生であったが、１～２割の学生は掲示物を見たり、教員から紹介されたりした学生である。

３）実施場所と実施形態

実施場所は、講義室を借りるか、センター内の相談室の部屋を使うか迷うところであった。学生たちが前を通る講義室を借りて、部屋の前にポスターなどを掲示すれば、多くの学生の目に触れて興味を持ってもらえるのメリットが考えられたからである。しかし実際に参加する学生の中には、参加しているところを見られたくない学生もいるだろうと思われたため、参加者の安全感を優先し、相談室の一角の、10数名での会議などに使う部屋を使用することにした。

実施時間は、初回のみ参加希望者に授業の空き時間を尋ね、最も多くの学生が参加できる時間を設定したが、２回目以降はあらかじめ授業が少ない曜日（いずれも特定の曜日の５限目）に設定した。疲れてお腹もすいてくる時間であったため、飲み物とお菓子を用意して、参加者が食べながら参加できるようにした。

４）実施の手応え

それぞれのセッションの最後に参加者全員にアンケートへの回答を依頼し、「講座が役に立ったと思うか」についての５段階評価および、その理由を自由記述で書いてもらった。また、セッションのテーマに応じて参加者の自己管理や時間管理の苦手さにまつわる思いなどを書いてもらい、次の回の最初に共有したりもした。

「役に立ったかどうか」の５段階評価については、94.7％以上の参加者において「とても役に立った」「まあまあ役に立った」との評価が得られ、概ね満足の得られる結果だったのではないかと考えている。自由記述は、KJ 法によって分類した結果、大きく３つの要素に分けられた（舩津, 2020）。一つ目の要素は「心理について知ることで自分で少しずつ苦手な部分に取り組めるのを感じて役に立った」「精神論を全く持ち出さず、理論的な説明をしてもらえたので、自分を肯定してもらえるような気がした」、「自分と同じような考え方の人がいることがわかって心強く感じた」など安心感にまつわる記述であった。二つ目は、「やるべきことを細かくすることで、頭の整理と負担軽減の両方ができるとわかった」「漠然としたイメージを、可視化することによってスケジュールを立てるとっかかりがわかった」など、具体的なスキルの有用性への気づきに関する記述であった。三つ目は、「問題は‘実践できるか’だ」「実践できたらもっと簡単な生活にできそうだから実践したいが、ただ今まで通りの生活をしてしまうかもしれない」など、実践への意欲と不安に関する記述であった。

５）今後に向けて

現時点での手応えとしては、当プログラムは、自己管理や時間管理の苦手さから修学の問題が生じ、単位が取れなかったりして自己肯定感を低くしていく学生が、「改善できるかもしれない」という思いを持つことに貢献できるように感じている。一方で、自己管理や時間管理は４回のレクチャーでたちまち上手になるわけではなく、試行錯誤したり、自分のスタイルを見つけて行ったりして、少しずつ身に着けていく必要があるのだと思う。まずはこの４回講座を安定して提供できるものにしていきたいが、その先に、この講座では割愛したディスカッションとホームワークを導入して継続的にスキルトレーニングを行うような、アドバンスバージョンがあると良いとも思っている。

また、スケジュールの視覚化のパートでは、主にスケジュール帳が推奨されてきたが、同様にアプリの使い方についても紹介する必要があると考えている。どちらも原理は同じだが、学生が自分の使い易い媒体を選べることが望ましく、そのためには私自身のスキルや情報も更新していかなければならない。

さらに心理教育部分について、学生相談において行うバージョンでは自己評価の低下が起こりうる学生にフォーカスしているが、一般学生向けに授業で行える90分バージョンを稲田氏がアップデート中である。ここでは、Solantoの認知行動療法のエッセンスを入れつつ、稲田氏の専門である応用行動分析学の視点も盛り込んだ、よりシステマティックな内容になっていて、新しく、教育的であり支援的である。

今年度は、新型コロナウイルスの影響で講座を実施することができなかったが、今後はオンライン実施も含めて、学生たちへの提供を考えて行きたい。

７．まとめと、試みの中で思うこと

学生相談という臨床は、学生たちの生活や修学と密接した支援の在り方であり、個別の心理面接を土台としていながら、同時に教育的な視点を持って対象者（学生）にアプローチをしていくという点が独自的である。入職したばかりの頃は、カウンセリングも行う同じ対象者に対して、壇上で授業をしたり、何かを提供したりする関係性であることに多少戸惑うところもあったが、今ではそれが学生相談の意義深いところであるとも考えている。また、たとえ学生相談におけるカウンセリングが心理療法として終結しようがするまいが、学生たちが必ず卒業していく（退学の場合もあるだろうが）というところ、初めから年限が決まっている通過地点であるというところが、医療における臨床などとは質的に異なる部分を包含している。この通過点たる大学生活期間は、多くの学生にとって、社会に出る前の準備や助走の時期である。私は個別の面接においても「この学生にとって、卒業するまでの間にどのようなこころの作業を為すことができたら良いだろうか」という視点で考えることが多くなった。

当プログラムも、まだまだ完成に至ってはいないが、自己管理や時間管理の苦手な学生たちが、学生生活や社会に出てからの自分にとって役に立つ何かを、１つでも拾える場にすることができたら良いと考えている。

●文　献

舩津文香　2020　時間管理4回講座の試み　学生相談学会第38回大会　大会論文集

中島美鈴他　2019　成人注意欠如多動症の時間管理に焦点を当てた認知行動療法の予備的検討　発達心理学研究 30. 1. 23-33

中島美鈴　稲田尚子　2017　ADHD タイプの大人のための時間管理ワークブック　星和書店

篠田直子　沢崎達夫　石井正博　2013　注意に困難さのある大学生への支援プログラム開発の試み　目白大学心理学研究 9. 91-105

Solanto. M.V.　2011　Cognitive-Behavioral Thearpy for Adult ADHD: Targeting Executive Dysfunction　The Guilford Press　中島美鈴　佐藤美奈子（訳）2015　成人 ADHD の認知行動療法――実行機能障害の治療のために　星和書店

山下京子　2011　大学生 ADHD へのアプローチの一考察　広島女学院大学論集　61. 31-45

第4章

留学生と日本人学生との相互交流を促す授業の展開

── 学部および大学院における「多文化クラス」──

高松　里

1．はじめに

筆者は九州大学留学生センターで、約30年間留学生対象のカウンセラーとして働いてきた。この30年で九州大学の留学生数は350人から2,500人に増えた。その中で何度も聞いたのは、「日本人と友達になれない」「日本人は冷たい」という訴えであった。

留学生と日本人学生は、同じ教室で学び、あるいは同じ研究室で実験や調査を行い研究論文を書いている。いつも顔を会わせているのだから、きっと仲が良くなるだろうと考えるが、実はそうとも言えない。朝の「おはよう」と夕方の「さようなら」しか言わない、などという話も聞く。

では、日本人学生は留学生に対して無関心かと言えばそれも違う。外国に行ってみたいという学生はたくさんいるし、留学生の友達が欲しいと彼らは言う。なぜ留学生と日本人学生は友達になれないのだろうか？

それには、主に2つの理由が考えられる。一つにはお互いが出会い、ゆっくりと話す場がないこと。もう一つは文化や習慣が違うために予想外のところで誤解が生じやすい、ということである。

相互交流を図る授業としては、「多文化クラス」という方法がある。足立ら(2000)によると、多文化クラスとは、①留学生と日本人学生が対等であること、②定期的に継続するものであること、③講義ではなく体験学習であること、④留学生・日本人学生双方に単位が出ること、の４点を満たしているものとしている。

本論では、多文化クラスとして開講された２つの授業を紹介する。学部新入生を対象とした「日本事情」と、大学院生を対象とした「異文化理解の心理学」である。多文化クラスがどのように機能し、受講者が何を学んでいるのかについて考察を行いたい。

２．学部基幹教育「日本事情」（前期セメスター、４月開始、主に新入生が対象）

（1）これまでの経緯

「日本事情」科目であるが、最初は多文化クラスではなかった。筆者が担当を始めたのは1995年度からであるが、その後1999年度まではこの授業は留学生のみを対象としていた。日本文化に関するビデオを見て議論したり、日本人の特徴について講義を行ったりした。しかし、当然のことながらステレオタイプな紹介になりがちであり、日本文化や日本人の多様性について受講者が理解することは難しかった。

その頃、数名の日本人学生が受講を希望してきた。彼らは、単位は出なくても良いので、留学生と一緒に受講したいというのである。ここに多文化クラスの端緒があった。確かに日本人学生が参加することで活気が出た。

そのような時に、日本人学生の受講を認める（単位を出す）ようにという大学からの要請があり、それを承諾した（2000年度～2003年度）。すると、年々日本人学生の受講希望者が増え、2003年度は学内で最大の教室（約300名）が一杯になった。ただ、この中で留学生は10数名程度であり、「留学生のための授業」という元々の意義が薄れていった。

それでも、この授業では、多文化クラス的な「大規模仮想ディスカッション」を試みた。毎回授業終了時に感想文を集め、それを講師がまとめ、オーバーヘッドプロジェクターで全員に見せた。氏名や所属は書かず、100名程度の感想を次々と発表をし、途中講師がコメントをするという形を取った。留学生の感想も毎回紹介した。

この授業は好評で、受講者の授業評価は極めて高かった。また300名が一斉に学ぶことができるという意味では、極めて効率的であった。しかしながら、やはり直接対話に勝るものではない。また、留学生からの「日本人の友達を作りたい」という要望には応えることが出来なかった。

そこで、2004年度から日本人学生の受講制限を開始した。最初は留学生の２倍の日本人学生の受講を許可したが、小グループを作った時にバランスが悪いため、2005年度からは留学生数＝日本人学生数という同数にした。

その結果、留学生が毎回40～70名、日本人学生も同数の40～70名となり、100名規模の授業となった。試行錯誤の結果、留学生３名＋日本人学生３名を１グループとすると、直接対話が可能だし、欠席者がいてもグループとしては運営可能であることがわかった。

授業内容については、講師が毎回の課題を出し、それに従って小グループの中で交流をした。「自己紹介課題」「共同作業課題」「フィードバック課題」（高松, 2015a）の順に行い、学期中に１～２回のグループ替えを行った。

（2）X年度「日本事情」

実際の様子を紹介したい。

①受講者 123名

a）留学生62名。12カ国・地域（自己申告[*1]）。学部正規生（４年間）の他、短期留学生（１年間）を含んでいる。

b）日本人学生[*2] 61名

②開講曜日および時限

毎週水曜日４限（14:50～16:20）

③授業担当者

a）高松里：留学生センターカウンセラー（臨床心理士・公認心理師）

b）船津文香：キャンパスライフ・健康支援センターカウンセラー（臨床心理士・公認心理師）

④使用言語

日本語

⑤授業の目的（シラバスより）

「留学生と日本の学生が親しくなり、相互の理解を深める。親しくなるためには何が必要なのか、何が阻害要因なのかを考える」

⑥授業内容および受講者からの評価（船津・高松, 2020）

表１には、毎回の課題と学生の感想をまとめた。また表２には、最終アンケートの結果をまとめた。

表１．各セッションアンケートにおける受講者のコメント

		日本の学生	留学生
全体の自己紹介・グループ分け		・色々な国からの留学生がいることに驚いた ・留学生が日本語が上手で驚いた ・仲良くなりたい ・ワクワクしている ・積極的に参加したい ・留学生の日本語が上手い ・留学生は積極的／日本人はシャイ ・留学生は日本について関心が高い	・これからの授業が楽しみである ・友達をたくさん作りたい ・日本語の不十分さを感じた ・新しい友達ができて嬉しい、楽しかった、 ・色々な国の人と話せてよかった ・日本人の配慮を感じた ・日本人と接触するチャンスが少ないから嬉しい
①	自己紹介の課題（＃４、＃10）	・自分マップを作ると話しやすい ・改めて自分のことを詳しく説明しなおすと、気づかなかったことや、他の人との共通点がわかって良かった ・色んな国の間でも、案外趣味が合うんだなと思った ・話すと第一印象と変わった ・皆、様々な人生を歩んでいて、一人一人の想いを感じた ・留学生は日本のことがとても好きなのだと思った ・他国のことは今まで遠い世界のことだったが、一気に身近に感じられた	・皆やさしく話をきいてくれた。感謝します。 ・時間が足りなくてもっとみんなと話したかった ・みんなのことをよく知った ・たのしかった ・普通の授業と違って会話力 up ・様々な人がいて今からより仲良くなりたいと思う。 ・絵と文字が出るので、もっと理解しやすいです ・国は違うけど、若者同士だから好きなことが似ていて話しやすい ・同じ趣味の人に出会ってよかった
②	「子どもの頃の遊びを教えあう」課題（＃５）	・体を動かしながら話すことでリラックスして素直に話すことができた ・一緒に遊ぶことで距離が近づいた、一体感が生まれた ・一緒にアイスを食べたのが楽しかった ・遊びやゲームに国籍はない	・楽しかった ・普段日本人とはできないことをした ・体を動かしたらもっと仲良くなれた
			・まだ距離感がある ・日本の学生はあまり自身に関することや人気のあること以外は言わない ・友達にもう一回説明してもらえない
③	「聞きにくいことを聞く」ディスカッションの課題（＃６、＃７、＃12）	・普段聞けないようなことを聞けて良い経験になった ・バイアスのかかっているメディアからはわからないことを知れた ・留学生は日本人に対して‘日本人って何故？’という疑問を多く持っていて、聞かれても説明できないことが多かった ・日本人は話しかけられたい。それを嫌われていると捉えらることが多いと気づいた	・文化の違いを話し合いながらお菓子を食べることは面白かった ・日本語がまだ下手だけど何度も優しく説明してくれた ・率直な話をしてよかった ・普段、日本に関してわからなかったことや聞いてみたかったことを話し合って、おもしろかった ・今日の話し合いで違いが見えてきて良かった ・今日の授業がなかったら、聞きたいことを多分聞かなかったかもしれない
		・聞きにくい話題はいくら授業でも聞きにくい	・言葉がわからないことがありました ・日本の人は話題を決めることに念を入れる傾向が強い
④	一緒に絵を描くという課題（＃11）	・日本の学生と留学生の描くものにはそれほど差はなかった ・言葉の障壁がないので新鮮で楽しかった ・一緒に絵を描く作業でキズナが深まったように感じた ・一緒に手を汚しながらみんなで何か作ろうとすることで、距離が近くなったように感じた	・みんなで何かやることじたいがけっこうたのしかった ・小学校に戻ったきがして楽しかった ・みんなと一つの絵をかいて少しうちとけた気がしました

		日本の学生	留学生
⑤	プレゼントを贈り合う課題（#８、#14）	・こんなに短時間で、初めて知り合った人ばかりで、いろんな国の人がいたが仲良くなれるということがわかった ・他の人のプレゼントを見て、今までの会話を思い出した ・皆が自分の欲しいものを考えてくれて嬉しかった ・少ししか言ったことのないことを覚えていてくれて嬉しかった ・皆が最後の別れを惜しんでいるのだと感じた ・ずっと前から仲が良かったみたいに感じた ・プレゼントをもらってうれしいのは誰でも同じ	・お互いのことを考え合う時間だったので、有益だったし面白かった ・このグループが今日で最後と言うことが本当にかなしい ・人と人の縁の大切さを感じた ・せっかく友達になったのに別れるのが残念だ ・みんな私のほしい物を良く知って、ちゃんと来ｋ路を込めて書いてくれてありがたいと思った ―――― ・みんなのことをまだよくい知らないで、ちょっと残念だと思います
⑥	「多文化フェス」（#13）	・皆他の文化に興味があるのだと知った ・共有の喜びを感じた ・他のグループの人と話せてよかった ・思い切って声をかけてみることができた ・グループを超えて交流でき、仲良くなるのに国境は関係ないと思った	・自分の持ってきたものに興味を持ってくれて嬉しい ・皆に自国のラーメンを紹介できて嬉しかった ・食べたことのない物を食べられた ・民族衣装は美しいと思った ・浴衣を着てみることができてうれしかった ・祭りみたい

表2．最終セッションアンケートにおける受講者のまとめのコメント

	日本の学生	留学生
最終アンケートの感想	・留学生を‘留学生’としか見ることができていなかったが、一個人一人一人の人間として見ることができた ・文化や言語が違う人たちでもこんな簡単に仲良くなれることを実感した ・この授業を受けるまで、留学生のことを少し怖いと思っていた。しかし同じ若者なのだと実感した。友達になるのに国籍は関係ない ・今までは何人（なにじん）の人だからと思っていたが、そんなのはなくて、ただの個性だった ・ステレオタイプが破れた ・年齢が近とお互いに話しやすい ・国どうこうの前に一人の人としてかかわっていきたいと感じた ・コミュニケーションに国籍は関係ない ・価値観の違いを感じたとしても、向き合おうとすること、話すことでその人のことをよく理解することができると学んだ ・少し積極的になれた	・日本人と友達になって、本当に嬉しかった ・異文化は理解できるものではないが、尊重しなければならないものであると学んだ ・色々な学部や学科の友達を作ることができた ・人の特性は個人の差であるだけ。国や国籍によって偏見を持つのは正しくないのを感じた ・日本人と話すことに慣れた ・わからなかった日本語を多く知るようになった ・語学力を上げるために影響がある ・他の留学生の国の文化を理解するきっかけになった （その他多数） ―――― ・日本人はもっと自分の意見を発表した方が良い ・日本人の若者の言葉を聞き取れなかった。話の内容さえ理解できなければ距離感を感じる ・皆優しいが、友達になるわけではなかった ・なんとなく日本人は外国の文化と習慣に興味がなさそうで残念だと思う ・日本人の学生たちとなんとなく距離感がある。有意に距離を置くのではないかという感覚が時々ある ・友達をつくることができなかった。でも遊ぶときは確かに面白かった。日本人と友達になれるのが難しい ・グループによって積極性がことなる。積極的でないグループは会話も進まない

（3）学部生にとって「日本事情」の意味

①留学生も日本人学生も接触機会を求めている

毎年思うことは、「留学生も日本人学生も交流を求めている」ということで

ある。学生の間では「遊んで単位が取れる」という噂[*3]もあるようだが、欠席率はごく低く、講師の指示にはしっかり従い、熱心に参加している。

日本人学生は概して言えば、積極性が低く口数も少ない。しかし、授業の中ではかなり努力して発言している。その理由の一つは、受講希望者の多さと選抜の厳しさにある。日本人学生は、留学生数に合わせて60名程度に絞られる。授業初日に教室に来る日本人学生は150名以上となるので、厳しい受講制限がかかる。レポート課題を出し、自分がいかに国際交流や留学生に関心があるのかを書いてもらう。課題のレポート用紙の表裏にびっしり書かれたものが多く、熱意を示している。その熱意は授業開始後も維持されているように見える。

②ステレオタイプを意識する、一歩を踏み出す

「留学生を‘留学生’としか見ることができていなかった」（表２）とあるように、思い込みと現実とは違う。まずはお互いに接触してみないとわからない。また、留学生からは、「日本人と友達になって、本当に嬉しかった」などの意見が多い。「異文化は理解できるものではないが、尊重しなければならないものであると学んだ」という意見もあるように、違いを理解できなくても、尊重しあえるという学びが起きていることがわかる。

③それでもなお、友達になることは難しい

表２にあるように、「皆優しいが、友達になるわけではなかった」というような意見が留学生から出されている。これには留学生と日本人学生の友達が欲しいという切望感の違いもある。

留学生にとって、日本人の友達を得ることは非常に重要である。特に学部生においては、勉学もさることながら、日本文化や日本人の特徴を知ることは彼らにとって優先順位が高い。一方、日本人学生は高校の友人なども近くにいるし、日本人同士の会話はとにかく楽である。留学生は日本語ができるとは言え、文化的にどこが同じでどこが違うのかよくわからない。その「違い」を楽しめるようになれば良いのだが、現実には「異文化」を乗り越えるのは簡単ではない[*4]。

3．大学院基幹教育「異文化理解の心理学」（後期セメスター、10月開始、院生および研究生が対象）

（1）これまでの経緯

九州大学の場合、学部留学生はごく限られており、９割を占めるのが大学院生および研究生である。基本的に研究室単位で行動しており、論文を書くことに大部分のエネルギーは費やされる。

彼らのために多文化クラスを展開する必要があることは以前からわかっていた。日本人の特徴や日本文化を学ぶ機会がほとんどないからである。何度か計画をしてみたものの、なかなか開始するきっかけを得られずに数年が過ぎた。なぜ躊躇したかと言えば、何人くらいの人が来て、どういうことが起きるのか全く想像できなかったためである。留学生だけが受講するとか、日本人学生しか来ないとか、そういう事態を想像すると不安になった。

そこで、同僚のカウンセラーである小田真二先生に一緒にやってもらえないかと相談をした。彼はカウンセラーではあるが、特に留学生に関心があるというわけでもないように見えた。しかし快諾してくれて二人で計画を立てることにした[*5]。

日本語と英語併記のチラシを作って、オリエンテーションなどで配布した。

１年目の授業では、各回の参加者は５名～12名と幅があった[*6]が、留学生と日本人学生の両方が受講した。２年目もほぼ同様であったが、講師も少し慣れた。そして３年目（Y 年度）は一気に人数が増えた。

（2）Y 年度「異文化理解の心理学」

①受講者 26名

a）留学生14名。中国人が多く、その他数カ国の出身者。

b）日本人学生12名。

②開講曜日および時限

毎週金曜日５限（16:40～18:10）

③授業担当者

a）高松里：留学生センターカウンセラー（臨床心理士・公認心理師）

b）小田真二：キャンパスライフ・健康支援センターカウンセラー（臨床心

理士・公認心理師）

④使用言語

「やさしい日本語*7」および英語のバイリンガル

⑤授業の目的（授業紹介パンフレットより。英文併記）

「大学院の留学生と日本人学生が、理解しあうための授業です。自分の国や出身地について紹介したり、文化の違いについて話し合います。お茶とお菓子を用意しますので、楽しい時間を過ごしましょう。」

⑥授業内容

「自己紹介（最初および中間）」「小グループによる話し合い」「出身地の紹介（パワーポイント）」「『ライフライン』を用いた自己紹介」「多文化パーティ」など。

その他、日本文化紹介ということで、居酒屋に行き、日本酒の飲み方などを通して、日本人の対人的特徴を解説した。

（３）大学院生にとって「文化理解の心理学」の意味

①「やわらなか雰囲気」「落ち着いた雰囲気」（小田・高松, 2020）

大学院生にとって研究や授業は緊張感をもたらすものである。しかし毎日が緊張ではパフォーマンスも上がらない。やらわかく落ち着いた雰囲気の場所が学内にあるのは、彼らのメンタルヘルスには有益だろうと思われる。

授業は意図的に金曜日５限という遅い時間帯を選んだ。週の最後の授業であり、少しゆったりとできるからである。今の自分の生活や、これからの人生について考える余裕は必要である。

②日本人や日本文化を知る

大学院留学生は、学位取得が主な目的であり、異文化理解は副次的なものである。しかし、同時に彼らは日本に住んでおり、日本文化の中にいる。大学から一歩外に出れば日本なのだから、日本人をより理解した方が適応はよくなる。とは言え、研究室で日本文化について話す機会はほとんどないだろう。多文化クラスの場では、日本人学生が何を考えているか、本音の部分を知ることができる。

③外国に関心を持つ

一方、受講していた日本人学生の中には、海外に行った経験がない人も多かった。しかし、これから国際学会に行ったり、海外で研究を行う必要があることを認識しており、そのための準備としてこの授業を利用していた。

自己紹介のプレゼンテーションは、英語と日本語の両方で行った。小グループでの話し合いでも、日本語がわからない留学生がいれば、英語が共通語になる。英語力のなさを嘆く学生もいたが、これをきっかけに英語学習が進むだろう。

④日本の宴会の謎

学外で懇親会も行った。年齢が高いのでアルコールも飲める。そこで、手酌はなぜ禁止なのかとか、日本人は他の人のグラスのビールの減り方を見ている、などと話すと皆驚く。また日本人学生は、アルコールが入ると、普段大学で見せている姿とは全く違って急に打ち解けたりする。それもまた授業のテーマにするなど、異文化理解には役に立った。

４．多文化クラスの展開から見えてくるもの

（1）大学内にウエルカムなムードを作ることの大切さ

多文化クラスでは、まずはホスト側である日本人学生が、留学生に関する基本的な知識を得ることができる。それがあれば、キャンパス内や研究室で留学生に声をかけることは簡単だろう。

日本に来た留学生にとって、自分たちがこの大学で歓迎されているのか、大事にされているのか、という雰囲気は、精神的な安定に影響を与える。研究や生活で困ったことが起きれば、すぐに相談できる学生や教職員がいる、ということは、基本的な安心感をもたらす。

（2）普段感じている疑問をこの場で話すことができる

国際交流の常識として「政治と宗教の話はするな」ということが言われる。喧嘩になるからである。しかし、多文化クラスでは、敢えてそれを話すように薦められる。「聞きにくいけど聞きたいこと」というテーマで話す中では、反日教育のことやイスラム教について話される。また、「恋愛観の違い」などは盛り上がるテーマであるが、ある大学院生は、「日本人女性をどうやったらデートに誘えるのか」と皆に質問をした。実際考えてみると、日本人女性を

正面から誘ってみても断られる可能性が高い。それはなぜか、などを考えると様々な文化の特徴が見えてくる。

普段面と向かって話しにくいテーマも授業の中では取り上げることができる。

（3）友達を作るための仕掛けを作る

個人相談を受けていて、我々に出来ないことの一つは、「友達を作りたい」という希望を叶えることである。どうすれば友達を作れるのかをアドバイスすることは可能である。しかし、アドバイスするより、友達を作れるような仕掛けを作ってしまった方が話は早い。

交流が起きれば、そこには文化的な葛藤も起きるだろう。しかしその経験は後々の生活にきっと役に立つ。逆に、交流が生じないのであれば、葛藤もない代わりに学びもない。

留学生からは授業だけでは友達ができないという声を聞く一方、授業後も長く続く友人関係もできている。留学生の出身国を訪問した日本人学生もいる。親しくなるためのきっかけをこの授業は提供している。

（4）異文化理解の難しさを知る

異文化とはそもそも理解できないものである。筆者は新たな定義として、「異文化とは、その人が従来から持っている言葉では表現できない状況」（高松, 2015b）を提案している。つまり、異文化を理解しようとすれば、新たに言葉を積み重ねる努力が必要である。

そして同時に、それまで理解できなかった異文化状況が理解できるようになれば、我々の視野も広がり、学ぶ楽しさを実感できるだろう。

5．おわりに

大学コミュニティ内の交流の拠点は授業やサークル活動などたくさんある。その中で、多文化クラスは異文化交流に特化したものであり、ここでしか得られないものもある。

我々カウンセラーが個別相談をするのはもちろん大事だが、大学コミュニティ全体をより安心して勉学に励むことができるようなものにすれば、学生のパフォーマンスは間違いなく上がるだろう。

●注

*1 「自己申告」としているのは、「台湾を国として認めるのか」というような議論が出てくるからである。授業担当講師としてはこの議論には基本的に関わらない。

*2 ここでは「日本人学生」と標記しているが、実際には留学生以外の外国人、つまり在日韓国・中国人などもいる。授業中はそのことを説明した上で「日本の学生」と呼んでいる。

*3 あながち間違っているわけではないが、出席も毎回きちんと取るし、異文化との交流はそれほど簡単ではない。楽しいばかりではなく、色々と悩む場面も出てくる。

*4 とは言え、簡単に異文化を乗り越える日本人学生も存在していて、すごいなあと筆者は思う。自分が学生だったら、やっぱり難しかっただろう。

*5 高松は、地域でのグループワークを専門にしており、著書「改訂増補セルフヘルプ・グループとサポート・グループ実施ガイド」(2021年, 金剛出版) において、「グループは一人で始めずに複数で始めた方が良い」と書いている。それは確かに正しいと今回思った。

*6 院生はどうしても研究が優先される。学会発表や就活関係で、時々欠席する学生がいた。

*7 「やさしい日本語」とは、もともとは災害時に外国人に情報を伝えるために作られたものである。短文で言い切る、曖昧な言葉 (おそらく、多分など) は使わない、擬態語は避ける、などの特徴がある。

●文　献

足立祐子・押谷祐子・土屋千尋　2000　コミュニケーション体験の場としての多文化クラス　多文化クラスの大学間および地域相互交流プロジェクトの実践と評価に関する研究　平成９－11年科学研究費補助金基礎研究 (C) (１) 研究成果報告書　42-47.

船津文香・高松里　2020　多文化クラス「日本事情」の展開 ── 受講生は何を体験したのか ──　九州大学学生相談紀要・報告書　第６号　21-32.

小田真二・高松里　2020　カウンセラー教員が担当する大学院生向け多文化クラスの意味：大学院基幹教育「異文化理解の心理学」九州大学学生相談紀要・報告書

第６号　33-41.
高松里　2015a　学部新入生を対象として多文化クラスの展開──受講者は何を学んだのか　九州大学学生相談紀要　第２号　33-47.
高松里　2015b　ライフストーリー・レビュー入門　創元社

第5章

学生相談活動の新しい自己評価アセスメント法の開発

福盛　英明

1　はじめに

わが国の大学教育において、評価の重要性が言われて久しい。近年は、学生相談・学生支援においても、質保証の観点から評価が注目されつつある。しかし、わが国の学生相談における評価の研究は、まだ端緒段階にあると言えよう。ここでは、学生相談の評価について、現状とこれからについて述べたいと思う。

2　学生相談と評価

読者は、学生相談の「評価」という言葉には、どのようなイメージがあるだろうか？学生相談で実務に当たっているカウンセラーにとっては、自分の仕事ぶりについて評価者に厳しく査定されたり、スタッフ間で比較されたりする恐れが気になったりするなど、ネガティブな印象があるかもしれない。また学生相談の評価を担当する立場になった人にとっては、成果の資料・エビデンスを収集したり、報告書をまとめたりと、その労力を考えると気が重くなるかもしれない。その結果、評価活動そのものに「こんなことをやっても疲れるばかりで何も変わらない」「評価する時間がもったいない。その時間をもっと意味ある活動に当てたい」「数値にあらわれないことの中に大切なことがある」「とりあえず形だけやっておけばいいのではないか」などの否定的な見方になることも少なくないだろう。

筆者も評価活動に関心を持つ前は、どちらかと言えばネガティブな気持ちが強かった１人である。筆者にとって過去にもっていた評価のイメージは、部外者によって作られた基準で強制的に取り組まされ、悪いところ、不十分なところがあぶりだされ厳しく査定されて、できてない部分にはペナルティが科せられるといったネガティブなものであったように思われる。

筆者は、平成19年度（独）日本学生支援機構「大学における学生相談体制の整備に資する調査研究会」（いわゆる「苫米地レポート」をまとめた委員会）で委員をつとめた。またアメリカを始め海外の学生相談の現状と取り組みを研究した。その中で、元来の「評価」の持つ意味を改めて知ることとなり、考えが大きく変化してきた。加えて、2007年に東北大学学生相談所の外部評価委員として、第三者評価の委員に任命され、実際の評価活動を行った経験も評価に対する見方を変える機会になった。「東北大学学生相談所自己点検・外部評価報告書」（東北大学学生相談所, 2007）にも掲載されているが、評価者として利用者に参加してもらってディスカッションが行われるなど、数値など定量的な基準だけでなく、質的な基準もあり、評価は冷たい雰囲気ではなくあたたかな雰囲気で行われる可能性もあるのだ、ということを学んだ。

３　評価を考える際の軸

もともと学生相談機関ガイドライン（日本学生相談学会, 2003）には「学生相談機関は、定期的継続的に十分に妥当な方法で、組織及び活動を点検し評価を行って、これを公表することが求められる。自己点検・評価によって、現状を把握し課題と改善点を明らかにし、外部評価も行って、常に最善の相談活動を目指す姿勢が望まれる」とあり、評価活動は学生相談機関の重要な業務の一環であるといえる。しかし、評価を導入して、組織がよりよい活動に向けて主体的にとりくみたくなる意欲が下がってしまうことは本末転倒である。

学生相談の評価について考える場合、そもそも「評価」にはいくつかの軸があることを押さえておく必要がある。

評価を行う際に、誰が評価を行うのか、という視点からは、自分達の活動を自分達で評価する場合は自己評価、他者が評価する場合は他者評価、または第三者評価などの分類がある。

また、どのような目的で評価を行うのか、という視点からは、成果評価と形成的評価などの分類がある。成果評価は、プログラムがどのような成果をあげたのか、さまざまなエビデンスを収集し、示す評価である。一方形成的評価とは、「プログラムの改良を導くための情報提供を意図した評価は、形成的評価（formative evaluation）と呼ばれている（Scriven, 1991）。それは、その目的が、プログラムをよりよく遂行できるように形成、あるいはかたちづくることを援助することにある」(Rossi et.al., 2004）とあるように、プログラムの途中で適宜行い、プログラム改善を念頭においた評価である。

学生相談の評価を考える場合、それぞれの評価には、特徴と長所・短所があることを、上記に紹介したような分類を念頭におき、どのような目的、分類で行うのかを明確にして、最初に決めておく必要があるだろう。

4　アメリカにおける学生相談の評価

アメリカにおける学生相談の評価はどのようになっているだろうか。ここではIACSの認証評価とCASによる自己評価について紹介する。

（1）International Association of Counseling Services（IACS)

筆者は2015年～2018年にアメリカの学生相談機関の長が参加するAUCCCDの年次大会に出席した。そこで、これまで関心をもっていた、IACSの認証評価プレゼンテーションのセッションに参加したり高野明先生（東京大学）の繋がりでJeffrey Prince先生やReina Juarez先生他、IACS認証に関わっておられる先生方に、詳しく話を伺う機会を得ることができた。また、IACS認証のガイドラインの翻訳に関わる機会をもらい（高橋ら, 2018)、ガイドラインを詳しく確認し、検討することは、学生相談のアイデンティティを見直すことであり、学生相談にとってどのような活動が中核であり大事であるかについて具体的に検討する作業であることなのだな、ということを改めて感じた。

また、話を伺うなかで印象的だったのが、認証評価は、単に機関が基準を満たしているかどうかを見るだけでなく、IACS 委員が実際に視察を行い、学長・理事などに会い、学生相談の質保証のために執行部に学生相談の意義を伝え、こうすべきといった点など改善を促す、ということであった。そういう意味では、認証評価を受けることが学生相談機関にとってもより充実させる契機にもなるし、また大学としても学生相談機関の質の保証を担保することになり、お墨付きをもらうことできるということであった。IACS 認証のような第三者機関による学生相談機関の評価が、現状の成果を評価するだけでなく、学生相談機関の充実に寄与する先進的なシステムであると思われた。

（2）The Council for the Advancement of Standards in Higher Education（CAS）

CAS は、学生支援サービスを自己評価するシステムである。筆者は2016年にカナダで開催された ACPA の中で CAS による自己評価のプレゼンテーションセッションに出席する機会を得た。詳しい内容は福盛（2017）に紹介している。筆者がこのセッションに参加し、帰国する飛行機の中で内野悌司先生（広島修道大学）と一緒にディスカッションしながら、アメリカでは、評価は活動の振り返り、データを集めることでアクションプランを形成しつつ改善を志向するといったポジティブな雰囲気をもっており、日本という文化の中では評価そのものが恐れを産みやすく、まず評価そのものの意識をポジティブなものにする必要があることが大事である、との認識を新たにした。

筆者はまだ CAS の自己評価基準に沿って九州大学の評価は行っていないが、是非取り組んでみたいと思っている。ただし、CAS の枠組みで評価を行うには、学生機関外のメンバーなどを招聘しつつ評価チームを作って評価が行われる。評価期間も半年から１年かかるのでかなりのエネルギーをかけて行う必要があるので、なかなか実行することが難しいものである。

5　新しい形での学生相談の自己評価

これまで述べてきたように、学生相談の評価の目的により、どの活動について評価するのか、どのような基準でどのような方法評価するのか、について、さまざまな基準や方法がある中で適切なものを選択したり、既存のものがない場合は一から作らないとならないであろう。

筆者は、学生相談の普段の活動をどのように振り返り、改善するのかということに関心をもってきた。学生相談活動の評価では、もちろん第三者にどのような活動をどれだけ行うことができているのか、学生や大学コミュニティに貢献できているのか、ということを説明することも大変重要なことである。しかし、学生相談機関が自分たちの活動について一度振り返り、これから自分達の組織の学生相談活動をどのように展開すればいいかという未来展望を自分達の手でつかんでそのために改良していくという活動も重要ではないだろうか。そのためには、「形成的評価」の視点で「自己評価」が行う意義はあるだろう。

ただし、「形成的自己評価」だからといって、自校の評価にあった評価基準を何もないところから作っていくことは困難な作業である。また自校の活動を振り返るといっても、一般的に大学の学生相談活動とは何をするべきなのか、というような客観的な視点をもたないと自分たちの活動の特色が見えにくいということもあるだろう。さらに、学生相談担当者にとって、学生相談の評価が意味があることがわかったとしても、その作業や労力が大きなものであっては、評価活動を行うことに二の足を踏むだろう。普段の学生相談の面接や業務に追われる中で業務を振り返ってそれを客観的にみて将来展望につなげるには、評価活動を行うことに対して組織として強い意志と労力をかける人的な資源がなければなかなか難しい。

そこで、より簡便に組織や業務の改善に役に立つ形成的自己評価が行えるツールとして、学生相談アセスメントパッケージを開発してきた。

（1）　学生相談機関充実イメージ表

まず、学生相談機関が、機関自身の発展状況や発展過程を可視化し自己評価できるツールとして、「学生相談機関充実イメージ表」を開発した（福盛ら, 2014）。これは学生相談機関のあり方について、苫米地レポート（（独）日本学生支援機構, 2007）や学生相談ガイドライン（日本学生相談学会, 2013）によって記述されている学生相談機関の基本的な水準を元にして、ルーブリック様の段階形式で評価するものである。領域は「組織の位置づけ」「利用者への利便性」「人的資源」「相談の質の維持向上」の４つからなっており、それぞれ「充実していない」「あまり充実していない」「充実しつつある」「かなり充実している」「とても充実している」の５段階で評定するものである。ルーブリック様の段階モデルを用いることで、領域ごとに学生相談機関が自らの組織の発展の状況を把握することができ、将来発展イメージ形成しやすくなるように工夫されている。なお、「充実イメージ表」はカウンセラーの働き方などをみるためのものではなく、機関そのもののあり様の充実度をみるものであるため、大学の理解と充実への意思がかみ合わなければ、カウンセラーだけの努力だけでは充実レベルが高くならないという構造になっている。開発にあたっては、先にふれたIACSスタンダード（高橋ら, 2018)、CASによるガイドライン、英国学生相談学会（AUCC）によるガイドラインなどを参考に、それらをわが国の状況に合うように考慮して構成しなおしたものである。実際に使用してもらった感想からは「自校の状況が明らかになって、次に何をしたらいいかはっきりした」などの感想も寄せられた（福盛ら, 2014)。

当初は、発展の段階を評定する目的で開発されていたが、開発過程で各段階の区別を厳密にすることが困難であることがわかり、評価基準というよりはイメージをとらえる表であると位置づけられた。しかし、この表は執行部に自校の発展の状況を伝えるためのツールとして用いる例や、長期の学生相談機関の発展・充実過程を振り返り、評価する際にも用いられつつあり（成瀬ら, 2015；坂本ら, 2016; 安住ら, 2017)、評価基準としての精緻化が期待されている。また、九州大学キャンパスライフ・健康支援センター学生相談室のアセスメントの実際について、舩津ら（2019）が「学生相談機関充実イメージ表」と「Cubeモデル」(Morril ら, 1974）を用い、形成的自己評価として九州大学の学生相談室の現状や特色についてのアセスメントを行っている。その結果、機関として比較的高い機能と設備を有していると評価できること、支援の必要な学生および教職員に対する治療的・予防的介入が多様に工夫されていること、特に個別の支援ニーズに対しては多くの工夫を凝らしながら多様な直接的・予防的活動を行っていることが明らかになり、機関の充実への提案がなされるなど形式的評価に活用可能であることが示されている。

（2）　学生相談プログラム充実イメージ表

「学生相談機関充実イメージ表」が学生相談機関の充実イメージを振り返ることを目的にしていたが、学生相談機関の活動そのものがどうなっているかについても振り返るツールが必要であろう。学生相談活動の評価を考える際には、一般的に「来談件数は何件だった」「ワークショップを何回実施し、参加人数は何人だった」などの数量的な成果を元にしていることが多いだろう。このような数量的データは、活動を客観的に評価できるという面では重要な指標である。しかし、評価は数量的な視点だけではなく質的な視点も重要である。数量的なデータだけでは、そのねらいがどうなっているか、その活動の強みは何か、何を改善・改良したらよいか、どうしたら発展するか、についての形成的な視点が浮かびあがりにくい。学生相談機関の活動は、個人面接、ワークショップやグループ、コミュニティでの予防活動、教育活動、居場所活動など多岐に渡るが、筆者はまず、学生相談プログラムの充実イメージ表を作成することにしており、現在成果をまとめているところである（福盛ら, 2019）。

（3）　Web 入力・評価者ネットワークを実装した新しい学生相談の自己評価システム

学生相談の自己評価を行う際、評価の担当者は組織内でチームで話合いながら行うか、学生相談スタッフが少ない場合は１人で孤独に評価活動を行うことになる可能性もある。いずれにしても、将来的に評価活動について他大学の学生相談機関やスタッフと強力したり連携したりすることができれば、評価者は閉じられた関係の中で自校の活動を振り返るだけでなく、他校の評価者から、「あなたの学生相談室の強みはこういうところだと思う」「このあたりを改善するには、こういう情報がありますよ」などのフィードバックを受けることができ、心理的に支えられたり改善の新しいアイデアも得やすくなることが増えるのではないかと期待される。そこで、Web 入力を用いて評価者同士がネットワーク上でつながることができるフォームをもった新しい自己評価システムの開発に着手している。将来的には、ＩＴ技術を組み込み、学生相談機関がさまざまなデータを即時的に参照しつつ、自己評価に取り組めるようなプラットフォームなどの開発が待たれる。

6　学生相談活動のエンパワメント評価

もうひとつの新しい取り組みとして、Fettermanの開発したエンパワメント評価による学生相談活動の評価の試みがある。エンパワメント評価とは、「当事者が自分のプログラムを計画し、実行し、評価する能力を増大させることで、プログラムが成果を生み出す可能性を高めることを狙った、評価方法である」(Fetterman & Wandersman, 2005) と定義されている。鎌田ら (2010) によると、「エンパワメント評価は、社会学的なエンパワメントの概念を評価の領域に適用し、何よりもプログラムの改善、発展を目指して、プログラムの当事者に自己決定力をつけ、評価の主体とする評価方法である」と紹介されている。

学生相談領域では、内野 (2013) がピアサポートグループで行っている実践を評価した報告があり、評価を行うことそのものが、学生の活動の活性化になっていることが伺われる。エンパワメント評価の具体的な方法は、フェターマンらによる著書「エンパワーメント評価の原則と実践：教育、福祉、医療、企業、コミュニティ介入プログラムの改善と活性化にむけて」(風間書房) などに詳しく掲載されているのでそれを参照していただきたい。

筆者も、エンパワメント評価を学生相談機関のスタッフの間で行うことで組織の活性化がおこるのではないか、という仮説の元、内野悌司 (広島修道大教授)、池田忠義 (東北大教授) とともに複数の大学の学生相談機関とエンパワメント評価を実施し、日本学生相談学会大会で発表を行った (内野ら, 2017)。東京大学の実践については榎本ら (2018) がまとめている。このように、学生相談へのエンパワメント評価適用の可能性については、学生相談におけるスタッフの相互扶助や改善の意欲を高めるために効果的であるということがわかってきており、今後成果をまとめていきたいと思っている。

7　これからの学生相談の評価はどのように発展するのか

以上、新しい学生相談評価の研究を進めているが、これらが実現すれば、学生相談の自己評価の本来の目的であるアクションプランを形成しつつ改善を志向するといったポジティブな雰囲気を醸成でき、組織がよりよい活動に向けて主体的に改善に取り組みたくなる意欲を持ちながら形成的評価ができる素地ができてくると思われる。

そのためには、評価活動が、評価のための評価にならないようにする必要がある。また学生相談機関の組織の利己的な拡充のために行うわけではないことに留意することが必要である。すなわち、学生相談の評価が、大学の中で学生相談が充実することで、心理的困難をもっていて顕在的・潜在的相談のニーズのある学生のすべてが学生相談を利用し、質の高い心理支援を受けられることにもつながることに資するためにおこなわれることを押さえることが重要である。またそれだけではなく、大学に所属する学生すべてに対して、教育の一環として、心理学を基盤とした学生生活の充実や修学のサポート、メンタルヘルスの向上に資するために行っていることも押さえる必要がある。学生相談機関の評価が組織の振り返りだけにとどまらず、大学コミュニティにおける学生の成長・発達に資することに役立とうとしていることを意識できるような評価体制を確立することが、学生相談の評価の将来にとって重要になるであろう。

●文　献

安住伸子　2017　カウンセリングルームの充実度評価の試み (2) ──「学生相談機関充実イメージ表」を用いて──．神戸女学院大学カウンセリングルーム紀要, 22, 43-52.

榎本 眞理子・高野 明・慶野 遥香・川崎 隆・大塚 尚・古川 真由美　2019　学生相談活動の自己評価に関する考察：エンパワーメント評価法を適用して 学生相談研究 39（３）173-183.

Fetterman, D.M. & Wandersman, A.（Ed.）2005 Empowerment Evaluation Principles in Practice. Guilford Press.NY（フェターマン・ワンダーズマン著、笹尾敏明 監訳 エンパワーメント評価の原則と実践 ── 教育、福祉、医療、企業、コミュニティ介入プログラムの改善と活性化に向けて ──．2014　風間書房.）

福盛英明（分担執筆）　2020　第13章　システムの整備（p.218-232）　日本学生相談学会50周年記念誌編集委員会編　学生相談ハンドブック（新訂版）学苑社.

福盛英明・松下智子・内野悌司・池田忠義・高野 明・大島啓利・山中淑江　2017　アメリカにおけるCASによる学生相談・学生支援の評価 ── わが国の学生相談プログラム評価への適用可能性 ──．九州大学学生相談紀要・報告書, 3, 73-79.

福盛英明・高野 明・松下智子　2018　学生相談とテクノロジー～アメリカと日本の学生相談におけるテクノロジー活用に関する新しい動向～．九州大学学生相談紀要・報告書，4，83-91.

福盛英明・高野 明・山中淑江・大島啓利・内野悌司・松下智子・池田忠義・舩津文香　2019　学生相談活動の自己評価ツールの開発 ── 学生相談プログラム充実イメージ表（プロトタイプ1.0）作成と試用 ──．日本学生相談学会第37回大会発表論文集.

福盛英明・山中淑江・大島啓利・吉武清實・齋藤憲司・池田忠義・内野悌司・高野明・金子玲子・峰松　修・苫米地憲昭　2014　大学における学生相談体制の充実のための「学生相談機関充実イメージ表」の開発．学生相談研究，35. 1-15.

舩津文香・福盛英明・松下智子・吉良安之・小田真二・高松里　2019　大学における学生相談活動の特色のアセスメントに関する研究～「学生相談機関充実イメージ表」・「Cube モデル」による分析～．九州大学学生相談紀要・報告書，5，45-54.

鎌田倫子・中河和子・峯正志・後藤寛樹　2010　エンパワメント評価の可能性と限界 ── 原理と特徴より ──．富山大学杉谷キャンパス一般教育研究紀要（38），55-70.

成瀬道子・大原佳子・植木陽子　2015　学生相談活動30年におけるシステム整備の評価 ── 発展を支えた要因の分析と今後の課題 ──．学生相談研究，36(2)，123-134.

（独）日本学生支援機構 2007 大学における学生相談体制の充実方策について ──「総合的な学生支援」と「専門的な学生相談」の「連携・協働」──．

日本学生相談学会 2013 学生相談機関ガイドライン（Version 1.01）Scriven, M. 1991 Evaluation thesaurus (4th ed.). Sage Publications, Inc.

Rossi P.H., Lipsey M.W., Freeman H.E., 2004 Evaluation: A Systematic Approach, 7th ed. Thousand Oaks.（大島巌、平岡公一、森俊夫、元永拓郎監訳　2005　プログラム評価の理論と方法 ── システマティックな対人サービス・政策評価の実践ガイド，日本評論社.）

坂本憲治・本多千賀子・永山由貴・木内理恵・成田奈緒子　2016　専任カウンセラー不在の学生相談室の問題 ── 開設33年目の X 大学学生相談室における後向調査から ──　人間生活文化研究　No. 26.

髙橋国法・Jeffrey P. Prince・高野 明・福盛英明（翻訳・紹介）　2018　International Association of Counseling Services による学生相談機関認証基準（IACS スタンダード）．学生相談研究.

東北大学学生相談所　2007「東北大学学生相談所自己点検・外部評価報告書」

内野悌司　2013　広島大学ピア・サポート・ルームの活動評価についての考察 ──

2011年度活動の Empower Evaluation を通して――．広島大学保健管理センター研究論文集「総合保健科学」29，13-23.

本章に紹介した研究の一部はJSPS KAKENHI Grant Number JP（18K03098）、（15K04131）、（21530692）の補助をうけた。

第6章

学生生活の行き詰まり状況における悩みの様相と援助の道筋

── 志気の低下（demoralization）の概念をめぐって ──

吉良　安之

1．問題と目的

学生相談においては、さまざまな理由から学生生活に行き詰まり、大学から遠ざかって学業不振に陥った学生に対する支援が求められる。学業不振という修学問題の背景には、修学意欲の喪失、生活リズムの乱れ、友人を作れない、友人とのトラブルといった人間関係の困難など、多様な要因が存在する（吉良, 2010）が、そのような学生に対しては、心の内面の問題や課題を取り扱っていくような心理療法的関わりに留まらず、より広い意味での心理支援が必要となる。

学生との面接関係を築くことができれば、その関係を土台にして学校生活への参加や授業への出席を促し、学生としての生活への復帰とその継続を目標とすることが少なくない。学校生活からの離脱が長期にわたっている学生に対しては、定期的に面接に通うことを勧め、日常生活や修学について語り合うことで学業生活に復帰するための足がかりとする。予約した面接に来室しない学生にはカウンセラーから電話などで連絡をとり、面接関係の継続をはかる。さらには、本人が了解すればカウンセラーから教員や親と連絡をとり、連携して学生にアプローチを行うこともある。齋藤（2015）は学生相談において教職員および親や家族との連携・協働が必要になる課題の一つとして、大学に行っていない、授業を休んでいることが主要な課題として語られる、ひきこもり系の諸問題を挙げている。

筆者はこのような実践を行いながら、自分がカウンセラーとしてどのような仕事をしているのか、どのような心の状態にある人たちに対してどのような働きかけをしているのか、支援の軸となる意味づけをしっかりと行う必要を感じてきた。それが不十分だと、学業上や生活上の不適応という困りごとを抱えた学生についての単なる世話係、面倒をみる係になってしまうおそれがあると考えるからである。そのような模索のなかで、筆者らは「学生生活不適応度」という5段階の評定尺度を作成した（吉良・田中・福留, 2007）。しかしこの尺度は、来談学生の悩みや葛藤または周囲との軋轢がどの程度大きいか、それによって学生としての生活（学業・対人関係・日常生活・家族関係）にどの程度の支障が生じているか、という外に現れた不適応の程度を評定するものであり、学生の心の状態そのものをとらえたものではない。学生相談において出会う行き詰まり学生はどのような心理状態にあると言えるのかは、不明確なままであった。

筆者（吉良, 2019）は2015～2017年度の3年間に自らが学生相談カウンセラーとして担当した不登校事例30件について分析を行った。その結果によると、カウンセラー（筆者）が学生の抱える問題として捉えたもののなかには、不登校の背景になっていると考えられる諸要因と、不登校が続くなかで生じた状態や問題が混在していた。前者としては、発達障害傾向、学業についての親との意見の不一致、家族の問題、教員の教育指導に対する苦痛やハラスメントの訴え、喪失体験などがあり、後者としては情緒面での無気力、不安感、抑うつ、周囲の学生への緊張感、行動面での引きこもり、学業上の悩みや進路の悩みが見出された。筆者はそのなかでも、後者に注目する必要があると考える。不登校状態が続くことによって生じる情緒面での特徴や周囲との人間関係の問題である。不登校学生への援助を考えるうえでは、学業から遠ざかってひきこもり状態に陥ったことによって学生に生じる心理過程や周囲の人たちとの人間関係の変化、すなわち、学業についていけなくなる、自信を失う、友人関係を保てなくなる、家族とうまくいかなくなる、などを見ていく必要があるのではないだろうか。

そのような中、筆者はFrankの提唱するdemoralization（志気の低下）という概念を知った(註)。この概念は筆者が捉えたいと考えていることにかなり近いのではないかと思われた。そこで本稿では、まずこの概念について概観し、その視点にもとづいて学生生活に行き詰まった学生の悩みの様相を理解するとともに、カウンセラーの行う支援の心理的意味を考えることにしたい。

２．志気の低下の概念の紹介

「志気の低下」は精神医学の領域で生まれたが、特定の疾病や症状を概念化したものではない。そうではなく、苦境ないし逆境にあってストレッサーへの対処の困難・失敗を繰り返し経験している人に生じる心の状態、実存的なあり方に光を当てて概念化したものである。このため、精神医学が対象とする患者だけではなく、緩和ケアの領域（末期がん患者など）で注目されるなど、コンサルテーション－リエゾン精神医学の領域で多くの研究が行われてきている。

この概念は1970年代にJerome Frankによって提唱されたものである。彼は長年にわたって、多様な心理療法の学派のいずれもが効果的である理由は何なのか、すなわち心理療法が共有する有効成分は何なのかというように、多様な心理療法に共通する治療要因を検討していった。そのさい、心理療法だけでなく、シャーマニズムや宗教的行為、カルトによるマインドコントロール、プラシーボ投与など、幅広い範囲の説得的・治療的行為を同列に置いて広範な議論を行っていることに驚かされる（Frank, J.D.& Frank, J.B., 1991）。そしてあらゆる学派の心理療法が果たすべき治療行為の焦点は、クライエントにおいて低下している志気を修復することにあると捉えている。Frank（1974）は以下のように論じている。

> 「あらゆる形態の心理療法の結果のもっとも重要な決定要因となるような共通のものがある。（中略）心理療法にやってくるあらゆる患者の主要な問題は、志気の低下である。そして心理療法のあらゆる学派における効果は、患者の志気を修復する能力にかかっている。」
>
> 「精神病理の症状を抱えた人でセラピーにやってくる人の比率は少ない。つまり、症状と相互作用するような何か他のものが明らかに付け加わっている。それを志気の低下と呼ぶのだが、それは内的あるいは外的

に引き起こされたストレスへの対処にずっと失敗したことの結果としての心の状態である。(中略) その特徴的な姿は、無力感 impotent、孤立感 isolated、絶望感 in despair などの諸感情である。その人は人々の期待に応じることに失敗したことで人々から拒絶されていると感じている。人生の意味や意義は価値観を共有する人たちとの結びつきによって得られるので、疎外感は人生の意味の喪失という感覚につながる。」

「心理療法において患者にもっとも頻繁に見られる症状である不安や抑うつは、志気の低下の直接の表現である。(中略) 症状と志気の低下とは、２つのやり方で相互作用している。第１に、志気の低下が著しいほど、症状はひどくなりがちである。(中略) 第２に、その人の力が失われることによって、症状はその人の対処能力を低減させ、その人の失敗の感覚がひどくなる（すなわち、症状によって志気の低下がよりひどくなる：筆者)。」

その後、本概念を明確にしようと、多くの議論や研究が行われていった。de Figueiredo & Frank（1982）は、志気の低下は distress（苦悩）と subjective incompetence（主観的無効力感）とが結びついたものであると論じた。そして、この両者が一緒に起こるのを防ぐのは社会的つながりであると述べている。苦悩は不安、悲しみ、落胆、怒り、憤慨のような症状として現れるものである。主観的無効力感は、あるストレス状況で、内在化された基準に照らしての最小限のレベルでさえ行為ができないと本人が知覚する状態であり、また、解決策を探すがあらゆる策は成功がおぼつかず消耗をもたらす、対処ができず状況がより悪化することを恐れる、自分や他の人にとって当然とされていたものが確かではなくなり思い描いていた将来が疑わしいものになる、などと記述されるものである。

de Figueiredo (1993) は、志気の低下は抑うつから区別されるものであると論じている。すなわち、内因性のうつ病の人は自分がとるべき方向はわかっていても動機づけが量的に減少していて行為ができないのに対して、志気の低下では自分のとるべき行為の方向が不確かになっていると述べている。さらに de Figueiredo（2007）は「動機づけは大きさと方向から構成されるベクトル概念だが、主観的無効力感はそのうちの方向づけの喪失状態である」と述べ、海図を失った船長のような状態だと論じている。

一方、Slavney（1999）はコンサルテーション－リエゾン精神医学の観点から、志気の低下は適応障害のような精神医学的障害では全くなく、grief（悲嘆）と同じように、逆境への正常な反応であると論じている。悲嘆はストレスへの非病理的反応であるが、臨床的に目を向けるべき焦点となることがある。志気の低下はこれと同様の位置に据えられるものとする。志気の低下は治癒不能ないし停止となるような、障害が残ったり、変形が生じたり、強い痛みがあったり、人生に脅威となったりするような医学的状況で起こりうると言う。また医学的治療によって衰弱したり、不具が残ったり、外観が損なわれたりする場合も同様である。彼によれば、患者や担当医に志気の低下であること、つまり困難な状況への自然な反応であることを伝えることが大切である。そのように伝えることで安心する患者は多い。一方、それを誤って精神医学的障害としてしまうと、取り組みの強化を患者が必要としているときに、ケアの重荷を内科や外科等の担当医から精神科医へと移すことになってしまうと警告している。

このような議論の文脈のなかで、de Figueiredo（2007）は志気の低下を炎症に喩えている。炎症と同様、志気の低下は特定の疾病や疾患に特異的なものではないし、ストレッサーが除去されれば志気の低下も解消する。志気の低下はストレッサーへのノーマルな反応として始まるのであるが、ある条件では病理的なものとなって介入が求められる。このように論じたうえで、彼は「炎症と志気の低下はどちらも境界的現象である。個人と環境との間の境界で起こる現象だし、また‘正常’と‘異常’との間の境目で起こる現象である」と述べている。

Clarke ら（2002）の志気の低下に関する論文のサマリーがよくまとまっているので、以下にそれを抄訳して記載する。

> 「志気の低下は医学的疾病や精神医学的疾病に共通して観察されるものであり、実存的な絶望、希望のなさ、どうすることもできなさ、意味の喪失、人生の目的の喪失が経験されるものである。志気の低下と抑うつとは、苦悩の諸症状を持つことにおいては共通しているが、前者が主観的無効力感、後者がアンヘドニア（生活上の活動において喜びや関心が

失われた状態：筆者）であることによって区別される。志気の低下は、抑うつの人、抑うつ的でないがん患者、統合失調症患者に起こりうる。志気の低下の顕著な特徴である希望のなさは、身体的疾病や精神医学的疾病の治療がうまくいかないことと関連しており、重要なのは、自殺の観念や死の願望と関連していることである。」

また、Kissane ら（2001）は緩和ケアにおける志気の低下症候群の診断について検討し、その中核的性質は、希望のなさ、目的や意味の喪失に伴う実存的な苦悩、ペシミズム、どうすることもできなさ、孤立と考え、以下の診断基準を提言している。

Ａ．感情面の症状：希望のなさ、人生の意味や目的の喪失を含む、実存的苦悩。
Ｂ．認知的態度：悲観的、どうすることもできなさ、困難な立場に追い込まれている感覚、個人的な失敗、価値のある未来の欠如。
Ｃ．意志：状況に応じた対処を行うための気力ないし動機づけの欠如。
Ｄ．社会的な疎隔ないし孤立とサポートの欠如とが結びついた様相。
Ｅ．情緒の激しさに変動が見込まれ、それらの現象が２週間以上持続する。
Ｆ．一次的条件として、大うつ病や他の精神医学的障害が存在しないこと。

このような診断基準にもとづいて、彼らは志気の低下症候群のための治療オプションを提示している。また、Kissane ら（2004）は緩和ケア領域で用いるための「志気の低下尺度」を作成している。これは24項目からなる５件法の質問紙であり、各項目について最近の２週間に自分が感じた程度を回答してもらうものである。主な項目をいくつか挙げると、「人生はもはや生きるに値しない」「もう生きていたくない」「私の人生は意味がないようだ」「私はすぐに傷ついたと感じやすい」「私は多くのことに怒っている」「私は罪悪感を感じる」「私はいらいらする」「私は自分に起こっていることに苦しんでいる」「私は自分に起こったことに捕われている」「私は人生に希望を失っている」

「私は全く孤立している（ないしは）一人ぼっちだ」「誰も私を助けることはできない」「私は自分を助けられないと感じる」「私はもはや自分を情緒的にコントロールできていないと感じる」「私は自分が達成したことを誇りに思う*」「私が他の人にしてあげられることには十分な値打ちがある*」「私は人生にまずまず対処できている*」（* は逆転項目）などである。

以上、この概念をめぐっての議論を概観してきた。議論を俯瞰すると、この概念は general な捉えられ方と specific な捉えられ方の間を行きつ戻りつしているように思われる。Frank はそれを、心理療法を求めてくる人々に共通して見られる主要な心理的要因と捉え、あらゆる心理療法はそれを修復することを目指していると考えた（つまり general なものと捉えた）のであり、彼の考え方はその後の多くの研究者に引き継がれている。しかし一方で、この概念を緩和ケアなどの領域での臨床実践に活かしていこうとすると、それが特定の患者に生じているか否かを検討するための診断基準を明確にする方向（つまり specific な捉え方）にも進んでいると言えよう。

まさに de Figueiredo（2007）が述べているように、志気の低下はストレッサーに対するノーマルな反応であって苦悩を抱えたすべての人に共通して見られる心理状態なのだが、ある状況ではそれが明確な診断基準のもとで病理として把握され、それに応じた介入が必要になるものであると考えられる。

３．学生生活の行き詰まり状況での悩みの様相

以上に概説してきたことをもとに、この志気の低下を、学生相談において稀ならず出会う学生生活への行き詰まり状況での悩みを理解するための概念として考えていきたい。英語圏の学生相談の領域においてすでに本概念を行き詰まった学生の心理を理解するための手掛かりとして用いた研究があるのではないかと考え、探してみたが、今のところ見つけられていない。したがって、本節における検討は先行研究に欠ける未知の作業となる。

学生生活の行き詰まり状況での悩みの様相と志気の低下の概念との共通点と考えられるのは、以下である。

①病理的現象ではなく苦境での正常な心理

学生の経験している悩みはもともとは病理的現象ではなく、生活環境・修学環境への適応がうまくいかずに行き詰まり、追い込まれた状況（すなわち、苦境）において生じる正常な心理状態である。しかし事態が深刻になると、以下のような状態が生じる。

②長期的に持続した対処不能

学生は、修学意欲の継続の困難、自律的生活を維持することの困難、対人関係の問題など、さまざまな要因によって学業生活から離れてしまい、なんとかしなければならないと思いながらも自分の抱える問題に対処できない状態が長く続いている。そしてどのように対処したらよいのか、わからなくなっている。

③主観的無効力感

自分が学生として、学業生活、日常生活、協調的人間関係をやっていける、学生としての生活に復帰してそれを継続することができる、という自己効力感を失う。

④苦悩

不安、落胆、自責感に襲われる。それが慢性化すると、しだいに何も感じないような感覚になるが、日常生活全体に重苦しい気分が蔓延する。そして折々に、強い苦悩感が再燃する。

⑤自尊感情の低下

自分は落ちこぼれている、ダメな人間である、と感じる。筆者が所属する大学には入学前までは学業面などで優秀とされてきた学生が多いため、「かつて自分は優秀だったが、今は劣等生になってしまった」と感じ、自尊感情が著しく低下した学生に出会うことがある。

⑥周囲の期待に応えることに失敗した感覚

優秀だった頃に周囲の人たち（親や家族、教師や友人たち）から受けていた期待に応えることができず、失敗したという感覚。また、経済的にも親などに迷惑をかけているという感覚。

⑦孤立

周囲の人たちとの関わりが希薄化する。長期の学業不振によって留年が重なると、入学時の同級生は上の学年に進んでしまい、本人は取り残されるため、親密な人間関係が失われる。家族からの連絡にも応答しなくなるなど、自ら人間関係を避けるようになる学生も多く、引きこもりがちになる場合もある。

⑧希望のなさ・どうすることもできなさ

現状から抜け出す手立てがわからなくなり、自分がこれから進むべき道筋が見えなくなるとともに、将来への展望が見失われる。先が見えず、どうしていいかわからないという感覚。方向づけが失われた状態。

⑨意味の喪失・人生の目的の喪失

学生としての自分の存在の意味が失われ、自分が何のために学生として生活しているのか、わからなくなる。これがさらに拡大すると、人生の目的、自分が生きていることの意味が見失われる。

⑩自殺の観念・死の願望

死について考え、死を願うようになり、自殺念慮をもち、自殺企図に至るおそれが生じる。

以上のように、多くの共通点を挙げることができる。志気の低下の概念は大学生活に行き詰まった学生の心の状態を理解するために、重要な示唆を提供するものであると考えられる。この概念が精神医学的な病理ではなく苦境での正常な反応を記述したものであること、しかしこの心理状態が深刻化すると自殺の問題にもつながりかねないという性質を内在していることも、学生相談での経験に合致するように思われる。

一方で相違点としては以下を挙げることができる。志気の低下の概念は回復が難しい身体疾患や精神医学的疾病を抱えた人たちの実存的あり方の検討を中心に議論されてきているため、そこでのストレッサーは‘病’という外から襲ってきた（と患者に感じられる）ものである。一方、大学生活に行き詰まった学生の場合、学業不振を招いたのは学生本人であり、自らが作り出した状況がストレッサーとなって自らを脅かしていると言えるであろう。しかし、もともとは何らかの要因から自分が作り出した状況であったとしても、いったんそのような状況のなかに置かれると、今度はそれが外側から自分を脅かすストレッサーとして作用することになると考えられる。

病によって自分が脅かされていると感じる患者は、病に対して、また症状をうまくコントロールできない医療職者などに対して、不満や怒りを経験しやすいと思われる。しかし大学生活に行き詰まった学生の場合、もともとは自分が招いた苦境であると認識せざるをえないことで、自責感が強くなると想像される。このため、志気の低下によって自尊感情は容易に損なわれやすく、自殺の観念や死の願望を抱く可能性はむしろ高いと言えるのではないだろうか。

４．行き詰まり状況で必要となる心理的援助

上記のような志気の低下の見られる学生たちに対して、学生相談カウンセラーはどのような心理的援助を行う必要があるだろうか。Frank の用語を借りて、「志気の修復」（restoration of morale）という観点から検討する。

①他者とのつながりを作り直す

まず必要なのは、他者とのつながりを作り直すことである。周囲の人たちとの関わりが薄れて孤立した状況からの脱出である。

学生生活に行き詰まって引きこもった学生を発見するのは、多くの場合、家族、友人、教職員である。周囲の発見者がカウンセラーに連絡をとって相談が始まる。そして本人を学生相談機関につないでもらうことで、カウンセラーは学生本人との接触が可能になる。また、筆者の所属する大学ではカウンセラーとは別に、コーディネーターという職務を新たに設け、単位取得が進んでいなかったり授業への欠席が目立つが学生相談に来ない学生をコーディネーターが発見して彼らに積極的に働きかける体制を整えている。

カウンセラーが彼らと接触できたとしても、面接を継続して点を線にしていくことはなかなか難しい。彼らはすぐにドロップアウトしがちである。したがって、予約日時に来室しない場合はカウンセラーから積極的に連絡をとり、関係が途切れないようにつないでいくことも必要になる。

同時に、カウンセラーが家族や教職員と連絡をとったり情報を共有したりすることで、学生本人を取り巻く人間同士がつながりをもつことも有益である。それによって、カウンセラーではなくても誰かが彼らとつながっているような状況を作っていくことが重要である。

②問題への対処策を具体的、現実的に話し合っていく

カウンセラーが学生本人との面接を継続できるようになれば、彼らの抱え

る問題への対処策を具体的に話し合っていく。昼夜逆転など生活リズムが崩れている学生にはそれをどのように整えるか話し合う。一人暮らしでの自律的生活が難しければ実家から大学に通う方策も検討する。学業から長期に離脱した学生には、どの科目なら履修しやすいかを検討したり、履修を継続しやすいように少なめの科目数を提案する。これらの現実的な対処策を立てて修学生活への復帰を促す。友人とのトラブルなど人間関係での気まずさが学生生活の行き詰まりのもとになっている場合は、その問題への対処の仕方を話し合うこともある。

③心理的支えの提供

見つけた対処策を実行していくためには心理的支えが必要である。長期にわたってカウンセリングを継続することは、心理的支えの提供という意味をもつ。毎週１回の面接（場合によっては週に数回、短時間の面接）を続け、予定どおりにやれたかどうか報告してもらったり、問題への対処がうまくいっているかどうかを話し合ったりする。学生生活への復帰という長い道のりを歩いていくためには、一里塚に相当するものを定期的に作り、自分がどこまで進んだかを確認できることが必要である。

留意すべきなのは、志気の低下の伝染しがちな性質である（Lloyd-Williams ら, 2008）。志気の低下した心理状態は、カウンセラーも含めた周囲の人に伝染しやすい。対処策を話し合っても、それを実行できなかったり継続できなかったりすると、学生本人もカウンセラーも「やっぱりダメなのではないか」と無力感に陥り、あきらめてしまいがちである。この過程においては、根気と粘り強さが求められる。

5．志気の修復のプロセス

上記のような心理的援助によって志気が修復されていくさいには、以下のようなプロセスが生じることが期待できる。

①自己効力感の回復

具体的、現実的な対処策を見つけ、本人がそれを実行し、ある程度の成果を挙げることができれば、学生の自己効力感の回復が期待できる。「このように取り組めば、このような成果が得られる」と実感し、自分の努力によって問題を乗り越えるための糸口が得られれば、学生は「なんとかやっていけるかもしれない」と感じることになる。

②失敗感の軽減・自尊感情の修復

自分の努力で問題を乗り越えていけそうだと感じることで、しだいに失敗感が薄れ、自尊感情が修復されてくる。しかし、それにはかなりの時間が必要である。それは、年単位の取り組みを経て得られる感覚であろう。

③希望や目的意識の再獲得

上記のことと並行して、学生は自分の将来像を描けるようになる。未来への希望や目的意識の再獲得である。修復の道のりを確かに歩いているという感覚を感じることで、道のりの先に未来の姿を思い描けるようになる。

④陥穽に陥るもとになった心理的傾向の振り返りと内省

志気修復の歩みが上記の②から③くらいのところになると、陥穽に陥るもとになった自分自身の心理的傾向の振り返りと内省が有効になる。自分のどのような心理的傾向が問題の拡大を招いたのかを振り返り、内省することで、今後同じ陥穽に落ち込まないように自覚するとともに、そうなりそうなときにはどうすればよいのか、という工夫を話し合う。

このような内省の作業を行うにあたっては、タイミングの見極めが重要である。タイミングが早すぎると、それが学生の自責感を強めてしまう場合がある。「自分はすぐにこのように考えて（感じて・行動して）しまう、だから自分はダメなのだ」という捉え方になってしまったのでは、逆効果である。ある程度の自己効力感を持てるようになり、「なぜ自分はあのような陥穽に陥ってしまったのだろう」と振り返って考えるような余裕が生まれた段階において、内省を進めることが有効であると考えられる。

⑤顕著な志気の低下を伴わない進路変更

教職員、家族など周囲の人たちやカウンセラーが支援を継続したとしても、学生生活への復帰が必ずしもうまくいかずに卒業を断念し、進路を変更して大学を中退していく学生も存在する。しかしその場合も、上記のような志気の修復を目指したカウンセラーの取り組みは無駄に終わったわけではない。ある程度長期にわたって１対１の人間関係を継続したカウンセラーの姿は、本人の立場に立って悩みに同伴し、ともに苦境を乗り越えようと努力した存在として学生の記憶に残ると考えられる。

前述したように、de Figueiredo & Frank（1982）は、志気の低下は苦悩と主観的無効力感とが結びついたものであり、この両者が一緒に起こるのを防ぐのは社会的つながりであると述べている。同じ苦境ではあっても、全くの孤立ではなく同伴者が存在することで、顕著な志気の低下を防ぐことができる。そして志気がそれほど低下していない心理状態であれば、未来への希望を失わずに自分の人生に意味を求める方向で、新たな進路を模索することが可能になると考えられる。カウンセラーは、支援の結果としての、大学生活・学業生活に戻れるかどうかということだけに目を奪われるのではなく、その学生の心理面、すなわち志気の修復の程度を見ていくことが重要であると考えられる。

6．おわりに

Frank の提唱した志気の低下の概念を紹介し、この概念にもとづいて、学生生活の行き詰まり状況における悩みの様相を理解することを試みた。そして、その理解にもとづいて、カウンセラーが行うべき心理的援助のあり方を論じ、またそれによって生じることが期待される志気の修復のプロセスを示した。

本論文において取り上げたのは、従来は学業不振学生、不登校学生、引きこもり学生などと呼ばれて議論されてきた大学生活への不適応学生群である。しかしこれらの用語は不適応現象が表に顕れた姿を記述したものであって、そのような不適応現象の背後にある心理を捉えたものではなかった。カウンセラーが行う支援の意味を考えるためには、彼らの心理を深く理解することが必要である。そのために、志気の低下の概念は貴重な手掛かりになるのではないかと考えられる。

また、前述したように、志気の低下は伝染しやすいという性質（Lloyd-Williams ら, 2008）をもっている。行き詰まって孤立している学生への援助がうまくいかないとき、カウンセラーは自身の努力は不毛なのではないかと感じ、あきらめの気持ちが先に立つことがある。そのようなとき、「志気の低下は伝染しやすい」ということを思い出すだけでも、この概念はカウンセラーにとって有益なのではないだろうか。

（註）demoralization の日本語訳についてであるが、Frank,J.D.& Frank,J.B.（1991）の翻訳にあたって、杉原は demoralization を「志気の低下」と訳している。杉原（2009）においても同様である。一方、松浪・大前（2010）はそれを「意気阻喪」と訳している。「意気阻喪」は原語の意味をそのまま反映したものであるが、日本語としてはその意味を容易に理解しにくいように思われる。そのため、本論文では杉原に倣って「志気の低下」と記述することにした。

●文　献

Clarke, D. M. & Kissane, D. W. 2002 Demoralization: its phenomenology and importance. *Australian and New Zealand Journal of Psychiatry*, 36, 733-742.

de Figueiredo, J. M. 1993 Depression and demoralization: phenomenologic differences and research perspectives. *Comprehensive Psychiatry,* 34(5), 308-311.

de Figueiredo 2007 Demoralization and psychotherapy: a tribute to Jerome D. Frank, MD, PhD (1909-2005). *Psychotherapy and Psychosomatics,* 76, 129-133.

de Figueiredo, J. M. & Frank, J. D. 1982 Subjective incompetence, the clinical hallmark of demoralization. *Comprehensive Psychiatry,* 23(4), 353-363.

Frank, J. D. 1974 Psychotherapy: the restoration of morale. *American Journal of psychiatry,* 131(3), 271-274.

Frank, J. D. & Frank, J.B. 1991 Persuation and healing: a comparative study of psychotherapy. 3rd ed. Johns Hopkins University Press.（『説得と治療：心理療法の共通要因』. 杉原保史訳，金剛出版，2007）

吉良安之　2010　修学に関する相談.『学生相談ハンドブック』（日本学生相談学会50周年記念誌編集委員会編），学苑社，71-74.

吉良安之　2019　不登校学生の学生相談室利用に関する調査研究――2015年度～2017年度における担当事例の分析――．九州大学学生相談紀要・報告書，５，9-15.

吉良安之・田中健夫・福留留美　2007　学生相談来談者の学年ごとの問題内容と学生期の諸課題．学生相談研究，28(1)，1-13.

Kissane, D. W., Clarke, D. M., & Street, A. F. 2001 Demoralization syndrome ―― a relevant psychiatric diagnosis for palliative care. *Journal of Palliative Care,* 17(1), 12-21.

Kissane, D. W., Wein, S., Love, A., Lee, X. Q., Kee, P. L. & Clarke, D. M. 2004 The demoralization scale: a report of its development and preliminary validation. *Journal of Palliative Care,* 20(4), 269-276.

Lloyd-Williams, M., Reeve, J. & Kissane, D. 2008 Distress in palliative care patients: developing patient-centred approaches to clinical management. *European Journal of Cancer,*

44, 1133-1138.

松浪克文・大前　晋　2010　精神病理学と精神療法：総論．精神療法，36(6)，702-709．金剛出版．

齋藤憲司　2015『学生相談と連携・恊働 ── 教育コミュニティにおける「連働」』．学苑社．

Slavney, P. R. 1999 Diagnosing demoralization in consultation psychiatry. *Psychosomatics,* 40, 325-329.

杉原保史　2009『統合的アプローチによる心理援助 よき実践家を目指して』．金剛出版．

［本稿は、九州大学学生相談紀要・報告書第6号に掲載された「学生生活の行き詰まり状況における悩みの様相と援助の道筋 ── 志気の低下（demoralization）の概念をめぐって ── 」（pp.57-66、2020年3月刊）を一部改稿して再掲したものである。］

第3部

パネルディスカッション

多様な文化が集い交差する場としての大学を考える

紙面でのパネルディスカッション

多様な文化が集い交差する場としての大学を考える

〜共生と葛藤〜

はじめに

本稿は、九州大学において2020年５月16日〜18日にオンラインで開催された日本学生相談学会第38回大会でのパネルディスカッション（紙面開催）の記録である。本大会は九州大学を会場にして開催する予定で準備を進めていたが、２月中旬頃から新型コロナウイルス感染症が急速に拡大したため、急遽オンライン開催となったものである。

３月下旬にそのことを決定し、それから２ヶ月の間にプログラムを練り直して、研究発表に関する質疑、参加者同士の交流スペース、パネルディスカッションはWeb上での文字の書き込みや閲覧で実施した。またそれと並行してWeb会議ツールを使い、開会式および研修会、講話、集いなどが行われた。残念ながらワークショップおよび懇親会は中止した。

このような経緯で、このパネルディスカッションも紙面上での開催となった。会期中、それを読んでいただいた参加者の方々からは、「とても刺激を受けた」といった感想を複数いただいた。一方、スタッフの間からは「参加した方の多くは研究発表の議論に目が向いているため、パネルディスカッションを見ていない方が結構いるのが残念」という声があり、大会最終日になって感想を書き込んでもらうWeb上のスペースを作ったりした。そのような経緯もあり、大会終了後、この紙上パネルディスカッションをこのままお蔵入りさせてしまうのは残念なので、文字化して公表できないだろうか、という話が出た。

このようないきさつから、本書の第３部として掲載することになったものである。掲載に同意してくださった４名のパネリストの先生方に心よりお礼を申し上げたい。

パネリストと発言テーマ

○話題パネリスト1：山下　聖先生
立命館アジア太平洋大学スチューデント・オフィス
専任職員 / カウンセラー
「多様な文化背景をもつ留学生の心理的支援」

○話題パネリスト2：黄　正国先生
広島大学保健管理センター　講師
「留学・進路変更を経てカウンセラーになるまでの異文化体験」

○指定討論者1：飯嶋秀治先生
九州大学大学院人間環境学研究院　准教授
「文化人類学の視点から」

○指定討論者2：高石恭子先生
甲南大学文学部　教授
「心理学の視点から」

○モデレーター：吉良安之
九州大学キャンパスライフ・健康支援センター　教授

趣旨説明および開催までの経緯

モデレーター●吉良　安之

このパネルディスカッションのテーマは、『多様な文化が集い交差する場としての大学を考える～共生と葛藤～』です。本来、大学というところは特定の指向や価値観にとらわれない多様性を包含するところだと思いますが、現代の大学にはそれが如実に展開されています。いろんな国籍の人たち、さまざまな障害のある人たち、性的指向も多様な人たちがともに学ぶ場として大学が成り立っています。そしてこのような様相は、今後私たちが生活する社会を少しだけ先取りしたものだろうと思います。

そういった多様性が混乱や衝突を生むのは当然でしょう。現在、全世界を震撼させている新型コロナウィルス感染症（COVID-19）の被害も、ある地域に発生したウィルスが特定地域を超えた目まぐるしい人の動きによって、一気に世界中に拡がったことによるものと言えるでしょう。グローバリゼーションが抱えるリスクが思いがけないかたちで顕在化したのだと思います。

しかし一方で、多様性が新たな意味を生み出す可能性もあるのではないでしょうか。皆が一律の価値観を持っていると、その社会での優劣や上下の基準はあたかも普遍的なものであるかのように扱われます。管理はしやすいかもしれませんが、価値や意味の相対化は生まれにくく、「皆が当たり前と考えること」が強い力を発揮します。一方、多様性を抱えた空間は価値観が相対的なものであることを意識させてくれます。そして多様性を持った文化のなかから新しい意味が生まれることも期待できるのではないでしょうか。このパネルディスカッションは、多様性がもたらす様々な側面を議論できたら、学生相談担当者としての視野を広げることに役立つのではないかと考えて企画されました。

テーマの中にある「交差」（crossing）という言葉は、フォーカシングを提唱したE.T.Gendlinの用語です。とても難解な用語なのですが、私なりに理解すると、もともと無関係で共通点や関連性が想定されていなかったAとBという２つの要素が相互に作用することで、そこに何か新しいプロセス（次の一歩）が創造されることを指していると言えそうです。今回のパネルディスカッションでは、支援の実務や学生相談という枠組みを基盤にしながらも、それを半分くらいはみ出して、学術的な議論につなぎたいと考えています。

山下先生と黄先生にはご自身の異文化体験を語っていただきながら、それが自分のなかにどのような新しいものを生み出すことになったか、そして現在の学生相談の仕事にどのように活かされているかを論じていただけるとありがたいです。また、多様な人間が集うことから何が生み出されるのかについてもぜひお考えを語っていただきたいと思います。

飯嶋先生には、これまでのフィールドワーク等のご経験に基づいて、文化人類学の視点からこのテーマについて論じていただきたく存じます。あまり学生相談という文脈を意識する必要はなく、文化人類学に固有の視点で発言していただいた方が議論に広がりができて面白いだろうと思っています。

高石先生には、心理学の視点から論じていただきたいです。高石先生は長く学生相談の仕事に携わられ、現在は本学会の理事長ですが、今回のパネルディスカッションでの肩書・研究履歴は学生相談に留まらず、分析心理学を基盤にして、子ども・青年の主体の発達や子育て支援の研究を行われてきたことを記載していただきました。そのようなこれまでのご経験をもとに、心理学（分析心理学と読み替えても OK ！）の視点から論じていただきたいと考えます。

＊　＊　＊　＊　＊

以上のような趣旨のもと、飯嶋先生と高石先生には指定討論者として、山下先生、黄先生の発言を受けてコメントするなかでご自身の考えを述べていただくことになっていたが、紙面開催に急遽変更となり、準備時間を十分に取ることが難しくなったため、同時並行で文章を作っていただくことにした。したがって、まず４名の先生にご自身の経験や考えを文章で論じていただいた。その後にモデレーターから感想や問いかけを行い、リプライの文章をお寄せいただいた。

「多様な文化背景をもつ留学生の心理的支援」

話題パネリスト１●山下　聖

この発表では、現在かかわっている学生への支援と私自身の留学生としての経験で交差する点について話をさせていただきます。学術的な話ではなく、個人的な経験について述べる形となりますので、流し読みしていただけますと幸いです。

私が所属する立命館アジア太平洋大学（以下、APU）は、大分県別府市の別府湾が一望できる山の中腹に位置しており、２学部２研究科からなる学生数約6000人の中規模大学です。多文化共生型のキャンパスを大きな特徴としており、国内学生（日本人と在留資格が「留学」ではない在日外国人も含む）と国際学生（在留資格が「留学」である学生）の比率が約１：１となっており、2019年11月1日時点で92か国・地域出身の学生が共に学んでいます。また、教員の約50％も外国籍で、教える側も学ぶ側も様々な背景を持った人々が日々至る所で混ざっています。2000年の開学以来、世界150を超える国・地域から集った学生たちが、国や文化、宗教、政治、価値観等の違いを乗り越え、共に暮らし、学んでいます。

私は2014年に常勤カウンセラーとして着任しました。このパネルディスカッションを機に、今までの学生とのかかわりを少し振り返ってみましたが、相談室で会った学生の出身国・地域数は48か国・地域でした。私が訪れたことのある国・地域は6か国ですので、それをはるかに上回る数の国への仮想旅行を相談室の中でさせてもらっていることに驚き、贅沢な地図上旅行をさせてもらっている気分になり嬉しく感じました。しかし、最近ではその多様性を意識することはなく、現在のような環境にいるとそれが当たり前となってしまい、恵まれた環境にいる有難さも薄らいでしまっているのではないかとふと思いました。

ここで皆さんに少しでもAPUの国際学生の暮らしぶりがイメージできるように、少し紹介したいと思います。国際学生はまず入学と同時に、キャンパスに併設する寮（APハウス）へ入寮します。原則、1回生のうちはAPハウスに住み続けることになっており、そこでRA（レジデント・アシスタント）にサポートしてもらいながら日本で暮らすためのルール等を学び、別府生活への適応準備をします。2回生からは別府市街にそれぞれで引っ越し、一人暮らしやシェアハウスでの暮らしを始めていきます。多くの学生が別府市街でアルバイトをしながら生活し、授業のある日は市街からキャンパスへ、路線バスかバイクの交通手段で30～40分かけて山の上まで通学しています。学生たちはキャンパスがある山の上を「天空」、生活の拠点となる別府市街を「下界」と呼んでいます。授業のある時間帯は「天空」へ登り、それが終われば「下界」へ降りて日常生活を送るような生活スタイルです。人口約12万人の小さな地方観光都市には日常的に外国人観光客が多く訪れていますが、更に約3000人のAPUの国際学生と他大学へ通う留学生を加えた外国人が暮らしているわけですから、市街地もだいぶ多様な環境になりつつあると思います。

さて、一般的に留学生が直面しやすい様々な困難には、例外なくAPUの国際学生も日常的に直面しています。しかし、留学生支援については他の機会に多く議論されていますので、ここでは敢えて一般論には触れずに、最近のAPUにおける国際学生支援の中で私が感じている点について少し共有させていただきます。まず、地方都市に置かれた留学生への心理的支援とその周辺とのバランスについてです。地方都市には未だ多言語対応が可能な社会資源が少ないため、必要に応じた専門サービスに繋ぎにくいことを実感しています。特に精神科領域での医療サポートは多くの困難を伴うため、私も年間数十回も学生の病院受診に同行し、サポートをしています。言語面でのサポートが大きいですが、異国の地での病院受診場面では、信頼できる者が同行していることで学生の安心感がだいぶ違うことを実感していますし、病院側にとっても大学の者が同行していることで信頼感が増すというメリットがあるように感じています。特に、“留学生”という響きに伴う間違ったイメージや誤解はまだまだ多く存在しているため、代弁者としてありのままの学生像を伝える良い機会になっていることは間違いありません。ただ、必要に迫られて、今の方法でサポートしていますが、負担が大きくリスクがあることも認識しています。その上で現在の一連の対応の中で気づいたことは、地方で多様な学生を受け入れていくには、学生への配慮と地域への配慮は必要であり、その間でバランスを取る役割が不可欠になってくるのではないかという点です。限りある社会資源はすぐに改善できるものではありませんので、それらとどう共存していくのかの工夫をしていくことが重要であるように感じています。いつか学生、大学、地域を含めた全ての構成員が上手く交差し、共存が進み、お互いの間でバランスが保たれた環境で、多様性の受け入れが進んでいくことを願っています。

次に、自身のアンテナの多様化と本質の見極めについてです。学生相談では、主訴、生育歴、家族関係、友人関係、履修状況、経済状況等、学生を取り巻く様々な情報にアンテナを張り巡らせながら寄り添っていくと思いますが、学生の多様さが多岐にわたればわたるほど、アンテナもどんどん広がっていくことを今更ながら実感しています。例えば、国際学生とかかわりを持つ前までは気にも留めたことが無かった地域の海外情勢が、かかわる学生の出身国・地域が増えるにつれてどんどん気になっていきます。テロ事件、紛争、経済破綻、国のリーダーの交代、政策転換等、我々には直接的には関係ない情報でも、その国から来ている学生にとっては一大事ですので、それらが学生の心理面に大きく影響を及ぼす場面に何度も遭遇しました。大げさかもしれませんが、APUには2019年11月1日時点で92か国・地域出身の学生が在籍していますので、その数だけのアンテナを広げておく必要があるということになります。実際には常に全ての情報を把握しておくことは難しいですが、多様な文化が集えば集うほど、一人を理解するためにはその人を取り巻く状況を見るスコープを、最大限に俯瞰する必要があるのではないかという気づきを持ち始めています。学生を取り巻く状況を正確に理解した上で、"多様性"という一言で片づけることなく、学生のありのままの本質に寄り添うことができないかともがいています。

ここで少し話が逸れますが、私の個人的な体験の話をします。私は大学時代をアメリカで過ごしました。それまで飛行機にも乗ったこともなく、ましてや海外にも行ったことがなかった超ドメスティックであった私が、なぜ海外留学したのかは今思うと不思議でたまりません。英語には一切関心がなく、海外に対する憧れなどもほとんどない状態でしたが、当時は心理学に興味を持ち始めていたのと、一人で生きる力を身につけたいという願望はありましたので、「心理学を勉強してみたい」そして「たくましくなりたい」という気持ちのみで衝動的に決めたのだと思います。結果的には、この衝動的な決断が、内向きであった私を多様性に開かれたあり方に導いてくれました。

留学時代には多くの人に助けられ、非常に良い経験をしました。その経験が、留学生支援や海外留学を目指す人々へのサポートをしたいという気持ちにつながり、現在に至っているのだと思います。しかし、留学はただ楽しいだけのものではありませんでした。偏見、差別、馬鹿にされる体験など、心がチクチクするような場面に多く直面してきました。もちろん、日本で暮らしている中でも偏見や差別は経験することであると思いますが、それまで人種、言語、文化的背景を契機にあからさまに否定されるような経験をしたことがなかったので、かなりショックを受けました。しかし、そのような色眼鏡で見られる経験をした一方で、今の在り方につながる大事な感覚に気づかせてもらえた経験もしました。それは、今でも一番強く私の中に残っている感覚で、「ありのままの自分を受け止めてもらえた」という心地の良い感覚です。山下という人物が、どこの誰で何をしている者なのかということはそれほど重要ではなく、「どういう人間なのか」という本質を大切に見てもらえた瞬間に触れたことが、私にとっては大きな出来事でした。私が留学先で出会った周囲の人々に恵まれたことが大きかったのですが、他者から“形容詞がついていない自分”を見てもらえたということが、今思うと目から鱗の体験だったのだと思います。“留学生の”、“日本人の”、“あまりしゃべらない”、“何を考えているかわからない”、“自己主張しない”等、留学中は多くの形容詞がついた自分で見られることが多かったように記憶しています。例えば、留学中の身ですので“留学生”という括りで扱われ、その形容詞があることによって「留学生だからしょうがないよね」と大目に見られたり、時には権利を奪われたりということもありました。また、英語で思うように意思疎通ができなかったために、“何を考えているかわからない”、“意見を持っていない”と勘違いされましたし、誤解をされてレッテルを貼られることも多々ありました。今思い出しても切なかったり、悔しかったり、もどかしかったりと様々な感情が湧き起こってきますが、一方で、チャレンジする過程を認めてくれたり、ありのままを見ようとしてくれた人々がいたことが当時も今も支えになっていることは確かです。“留学生”であることとは関係なく接し、平等に扱ってもらえたこと、“英語が上手く話せない”ことは気にせずに、「あなたはどう思うのか？」とその場にいる一人の人間として扱ってもらえたこと、「伝えようとチャレンジしてくれてありがとう」と労ってもらえたこと等、些細なことかもしれませんが“ありのままの自分”に働きかけてもらえたことはなんとも心地の良い経験でした。

ここでもう一つ、私の留学体験にかかわる話をしたいと思います。一般的な異文化適応プロセスの説明では、カルチャーショックに触れることが多いと思いますし、私も例外なくカルチャーショックを経験しました。それに加えて、私は日本に帰国した後の逆カルチャーショック（リエントリーショック）に非常に苦しんだという経験があります。逆カルチャーショックは、「異文化への適応が進んだ人が母国に帰国した時、外国で経験するのと同じようなストレスや違和感を感じる」現象のことを指し（原沢, 2013, p.63）、異文化圏から自国へ戻った際に多くが経験することが知られています。私の場合は、その反応の中でも、既述の留学中に経験した「色眼鏡で見られる」もどかしさを帰国後に再体験したことが、何よりも辛かったです。当然といえば当然なのですが、帰国後は“海外留学をしていた”という形容詞付きの自分で見られることが増えたのですが、私はどこか窮屈さを感じていました。“海外で勉強をしてきたのであれば、こういうことも知っているであろう”、“英語はできて当然であろう”、“留学していたのであればこういう人間であろう”等の憶測に基づいて私の人物評価がされているようで、私の体験が理解されない感覚を抱き寂しく感じましたし、上手く言語化できずに伝えられなかったことも、もどかしかったことを記憶しています。

私の今の学生とのかかわり方の根底にあるのは間違いなく留学時代の体験が大きいです。留学中に感じた“ありのまま”を受けてもらえる心地よさと、帰国後に感じた“形容詞のつかない自分”を見てもらえないもどかしさが交わることで、“人の本質を見つめることの難しさ”を学んだのと同時に、大切にしていきたい思う気持ちも生まれたのだと思います。そこからの繋がりで現在の相談活動に活かされていることは、できる限りその人のありのままを見ようとする意識を大事にする姿勢です。カウンセラーとしては当然の態度であるかもしれませんが、私にとっては特に大事にしたいと思っている感覚です。国際学生が経験しているであろう“留学生”というフィルターを通して見られることで生じている誤解や偏見、私が留学時代に感じた様々なフィルターを通して見られることのもどかしさ、この両者は私の中で“ありのまま”を見つめることへの大きな気づきとなり、学生とのかかわりの中で大切にしたいと思っている在り方です。

最後に、多様な人間が集うことから生み出されるものについて、今回のパネルディスカッションの準備をする中で気づかせてもらったことを共有したいと思います。過去と現在の私の経験の振り返りから、「“ありのまま”をどのように大切にするか」について揺れてきたことに改めて気づきました。冒頭でも触れました通り、現在の私は多様な文化的背景を持つ人々に囲まれて過ごしていますので、多様であることが当たり前に感じるようになっており、多様性に対しての感覚は鈍くなっているかもしれません。しかし、多様な日常に触れているからと言って、“ありのまま”を見ようとする感覚が鋭くなっているとも感じていません。つまり、多様な人が集まれば、いずれそれが当たり前になっていきますが、同時に多様であることへの尊重の念や配慮が薄れていく部分もあるのではないかと感じました。APU の学生でも、キャンパス環境が多様であることが自然で、いざ日本社会に出ると全く違う環境で戸惑うこともあるという話を聞いたことがあります。私も留学中と後で所属集団における多様性や自身の在り方について、大幅に感じ方が変化しましたし、現在の多様な環境も特殊であり、今の私の在り方は外に出れば汎用性は低いものなのではないかとも思います。ただ、多様な人間が集う集団でこそ、“多様であること”と“個人のありのまま”の両面を尊重する意識を大切にしていきたいと思っています。

参考文献

原沢伊都夫　2013 『異文化理解入門』 研究社

「留学・進路変更を経てカウンセラーになるまでの異文化体験」

話題パネリスト2●黄　正国

留学と進路変更を経てカウンセラーになるまでの経験を振り返る機会をいただき、自分の過去をもう一度見つめることができました。吉良先生をはじめ大会準備委員会の先生方にこころより感謝いたします。大変プライベートの話で、皆様には本当に申し訳ございませんが、ご一読いただき、一笑に付していただければ幸甚です。

留学する前の私

小中高では、そこまで優秀な学生ではありませんでしたが、大学進学の時に何とか親の期待に応えることができて、18歳の時に中国の大学の医学部に入学しました。今振り返ってみると、私は当時に深刻なアイデンティティの危機に直面していました。ひたすら受験勉強だけをしていたが、自分の生活に目標も意味も見出さず、全く人生の方向性が見えない状況でした。

見た目は礼儀正しいふりを見せていましたが、中身は、傲慢で、わがままで、頑固で、マイペースで、責任感のない人間でした。自分の世界に浸っていたため、親友と呼べる関係を全然持っていませんでした。

自分の意志で目標を決めた経験がなかったせいかもしれませんが、大学に入ってから、決められた勉強はできたが、自ら何かしたいという意欲はまったくなかったです。また、人と関わる場面では、束縛感と威圧感を感じやすいため、関わりを避けていました。その一方で、大学に入ってから、周りの優秀な人たちを見て、自信を持てなくなりました。敏感で傷つきやすくて、「人からどう見られているかな」と不安を強く感じていました。人から注意された場面では、人の意見を素直に受け入れずに、逆切れしていました。集団場面では、ほかの人の気持ちを理解できずに、他の人の意見に反論を言うことに快感を覚えていました。

2002年７月に医学部を卒業して、親戚が院長を務める公立病院に就職しました。周りの先輩をみて、５年後10年後の自分の生活が目に見えてしまい、何となく窮屈さを感じていました。具体的に何か不満があったわけではなかったと思いますが、毎日の仕事と生活にワクワクと感じなくて、楽しくなかったです。

ちょうどその時に中国の大学卒業生の中で留学ブームがありました。「留学を理由にすればここから逃げ出せる」と思ったら、一日も我慢できなくなりました。親の前で自己意志を表現することがほとんどなかった私が、人生に初めて親に直に「留学したい」と交渉しました。普段の私のやる気のない様子をみて親も気になっていたようで、少し心配と反対の意見を口にしましたが、最終的には「やってみて、ダメだったら帰ってこい」と同意してくれました。

留学するための手続きをするときに、いろいろ紆余曲折はありましたが、2003年３月に私費外国人留学生として日本に来ました。当時は何か目標も目的もなく、「とにかく親から逃げたい」という動機だけでしたが、幸運なことに、この留学の決断によって私の世界が一気に広がりました。

「８割は共通しているが、２割は異なる」という環境

漢字、古文、仏教など、日本は古代の中国から伝わってきた文化要素がたくさんあります。古代中国文化と仏教が大好きだった私は、日本の社会に親和性を感じました。日本に来る前に日本語はほとんど勉強しませんでしたが、日本に来てみると、漢字だけで何となく地図と店の看板が読めたので、実に心強かったです。日本語学校の授業がない日は、広島平和公園で碁を打つお

年寄りたちの隣に座り、全く聞き取れない日本語の会話をずっと黙って聞いていました。

そこで二つの気づきがありました。一つは、言語の壁はそれほどコミュニケーションを妨げないことです。日本語がほとんどわからなかったが、公園にいる人たちのやりとりがある程度理解できました。このことを知ったことで、日本人とかかわることへの不安がずいぶん軽減されました。もう一つは、私にとって、日本はまさに「８割は共通しているが、２割は異なる」という理想的な異文化環境であることに気づきました。中国にいたときの生活は、何も不安はなかったですが、逆に言えば、私にとって新鮮感なく、何か探求する意欲もなかったです。日本では、８割のことは共通していることで安心感があるとともに、２割の異なることに興味を持って関わることができました。

異文化という広い世界

私にとって、異文化は広い世界を意味していました。

広い環境に置かれたことで、今までの人生で経験できなかったことに直面します。この体験は私にとって大きな意味がありました。

中国の大学を卒業するまでに、周囲の目線が厳しくて、失敗することが許されませんでした。また、進学は親と親戚の一大関心事でしたので、受験勉強に一生懸命になって、それ以外のことを楽しむ余裕はありませんでした。留学生として日本に来た私は、もはや親や親戚からの期待を気にする必要がなくなったので、初めて羽を伸ばして自由に自分の生活を考える機会が得られました。

親からの仕送りがなく、経済的な不安は大きかったです。生活を続けるために飲食店や工場でアルバイトをしました。そのアルバイトの仕事の最中でも、中国にいた時と比べて、体も気持ちも軽く感じていました。「親族の期待に合わせなくてもいい、私は私でいいのだ」という感覚に感動していました。

ちなみに、中国でアイデンティティ拡散の状態だった私は、異文化に対して全く抵抗はありませんでした。そもそも理想的な中国人の青年像に同一化していなかったので、生活様式に関しても「中国的」なこだわりはありませんでした。このような異文化に開かれた姿勢があったからかもしれませんが、日本での異文化適応に私自身は大きな苦労はありませんでした。

2003年から2006年の間に、いろいろ政治的な出来事があって、日中の政府レベルの関係が冷え込んでいました。中国では受験勉強しか関心がなかった私は、中国社会にあまり帰属感はありませんでした（いわゆる「愛国心」はなかったです）。そのためか、当時の中国における「反日感情」と日本社会に漂った「嫌中」の言論は、私にとって留学生活の背景の一部分に過ぎなかったです。あまり政治的な話題で嫌な気持ちになった経験はありませんでした。日中関係の話題についての議論を避けることもありませんでした。この点に関しては、他の留学生よりストレスが少なかったかもしれません。私が知っている範囲でも、「民族」や「国家」などの想像上のカテゴリへの同一化が強すぎて、政治的な争いに翻弄されていた留学生は実際にいました。異文化というのは、個人内の生活習慣や日常の社会的規範意識だけではなく、時々政治的、宗教的な要素が絡んでしまいます。一部の留学生にとって、自分の世界に堅い境界があって、どうしても相容れない文化がありました。私にはそのような抵抗はありませんでした。

留学生からカウンセラーに

大多数の留学生は夢をもって海を渡ってきたと聞きますが、私はそうではありませんでした。来日した当時には、頭の中に２年以上の計画はありませんでした。最初に日本語学校に入学しましたが、そこの課程を修了した後の進路について何も考えませんでした。

日本語を習得してから将来のことを考えようと安易に思っていました。周りの留学生がアルバイトを始めたのを見て、自分も無料の求人誌を手に取って、片端から求人を出した店や会社に電話をかけてみました。当時の私は、電話の向こうの方の日本語をほとんど聞きとれなかったので、会話が成立しないまま電話を切られたことが多かったです。辞書を引きながら何百通も電話をかけました。だんだん相手の日本語に慣れてきて、そしてなんと３か月後にアルバイトの面接までたどり着きました。面接は訳もわからずに不採用になった経験が何回もありましたが、チャレンジし続けて最終的に飲食店での皿洗いの仕事を得られました。

あっという間に１年が過ぎて、周りの留学生たちは、大学あるいは大学院への進学の夢を描きながら、日々受験勉強に励んでいました。それを見て、私もそろそろ進路について考えないといけないと感じました。日本語学校の先生に相談したり、インターネットで調べたりしました。医学の道ではなく、中国で学べなかった学問を探そうと思って、最終的に地方国立大学の法学部（医事法学に興味があった）と教育学部の心理学専攻に絞りました。前期試験で法学部に受かり、後期試験で心理学専攻に合格しました。ちょうどその時期に同じ日本語学校の友人のきょうだいが自殺したことを聞いて、何となく心の世界に興味が湧き出しました。一念発起して、法学部を辞退して心理学専攻への進学を選びました。ちなみに、その時、中国ではまだカウンセラーという職業の存在自体が、一般の人にあまり知られていませんでした。

大学に入ってからも２年以上の計画はありませんでした。親からの仕送りがなかったので、アルバイトをしながら学業を続けました。将来はどこに行くのか、全然決められなかったです。最終的に、臨床心理学の世界に進んでカウンセラーになろうと思ったのは、2008年５月に中国で四川大地震が起こった時でした。知り合いの先生に声をかけられて、ボランティアとして現地に行きました。大きなストレスと喪失を体験した方々の話を聞いている中で、人が人を支えることに魅力を感じて、大学院への進学を決めました。大学院時代に、緩和ケア領域における心のケアについて関心を持ちはじめ、非常勤として総合病院で臨床実践をしながら、地域のがん患者の自助団体に足を運び、ボランティアとして団体の運営を手伝いました。がん患者とご家族の方々に励まされて、修士論文と博士論文の研究を行いました。学位を取得した後に広島大学心理学講座で助教として就職しましたが、さらにカウンセラーとして自分を磨きたいと思い、現在の学生相談の現場に移りました。

カウンセラーの仕事はとても奇妙な体験で、まさにカウンセラーとクライエントの異文化の交流だと思います。よく「日本語に微妙なニュアンスが含まれる表現が多いので、理解するのが難しいではないか」と聞かれますが、実は、私にとって、その「８割は共通しているが、２割は異なる」という感覚が一番魅力的なものです。クライエントに「私のような中国人でもわかるように、説明していただけますか」とお願いすることで、逆に関係が深まり、ほかのところで語られないようなことを丁寧に教えてくれたことがよくあります。お互いの文化について「わからない」ことは、壁でもあれば、時々窓でもあります。

このような異文化体験を重ねているうちに、いつの間にか、私は自分の心の深層にあった怒りの感情から解放されました。視野も広がり、自分のことばかりではなく、周りのことも見えるようになってきました。気づいたら仲間との関わりが増えて、他の人に対して習慣的に反発をすることが減って、素直に人間関係に臨めるようになりました。さらに、カウンセラーという身分と役割を自然に引き受けて、教育機関や医療機関におけるカウンセリングの体験に深い喜びを感じるようになりました。

多様な文化が集い交差する場としての大学

中国での大学生活に窮屈さを感じ、息が詰まる思いをしていました。そして、異文化を求めて日本に留学し、広い世界でたくさんの方々と出会ったことで、今まで体験できなかった文化的な要素を吸収できました。また、進みたい職業の道を見つけて、仲間との質の良い関わりによって、自分の中で枯渇していたエネルギーが湧きました。大学には文化的な多様性があるからこそ、一人一人の構成員にとって世界が広がるチャンスが得られ、様々な出会いから常に新たな可能性が生まれて真の交差が実現されると思います。

振り返ることで気づいたこと

自分が歩んできた道は、当時に出会い得るすべての可能性の一つに過ぎませんでした。

もし自分にもっとはっきりした留学の目標があったら、25か所のアルバイトを経験できなかったと思います。もし友人のきょうだいの自殺や四川大地震が起きなかったら、心理学そしてカウンセラーの道を選ばなかったかもしれません。今回、自分の経験を振り返るときに、他の可能性についても想像してみました。全ての可能性の集合の中から今の自分に辿り着いた道を選んだことに運命のはかなさを感じました。一方で、その運命の分かれ道に立っていた時の自分をもう一度思い出すことで、偶然だと思っていた当時の選択にそれなりの理由があったと思いました。そういう意味で、個人の異文化適応と心理発達は生物の進化のプロセスと類似していると思います。個のレベルから見て、あらかじめ進む方向が決まったわけではなくて、環境における様々な体験を通して別の可能性が一つ一つ間引かれていくことで、今の自分の在り方が残ったという見方もできます。

私の異文化の体験には、波乱万丈な出来事や「夢が達成した喜び」などはなくて、広い世界の中で日々に体験した小さな出会いだけでした。そのような平凡な日々の中で繰り返された「偶然」で「想定外」のことを体験して、他者との関係から心の栄養を得て、自分のアイデンティティの問題が解消されました。

恩師の指導と仲間の応援のおかげで、一生にわたってエネルギーを注ぎたい「カウンセラー」という身分と役割を獲得できました。そして、出会ったクライエントの方々から励まされながら、その期待に応えることを自分の目標と役割として引き受けています。これらの関係が今の自分の原動力になっていると思います。

結語

拙い個人的な体験で恐縮ですが、これからもカウンセラーとして、来談している学生の持つ「異文化」と出合い続けて、お互いに自分を見つめ直し、一緒に成長していきたいと思います。今後とも引き続きどうぞよろしくお願いいたします。

「文化人類学の視点から」

指定討論者１●飯嶋　秀治

ジェンドリンの「交差」

心理療法家のジェンドリンは、自らがアメリカ移民だった背景もありましょうし、シカゴ大学で長年所属していたのが哲学および比較人間発達部門であったこともあったのか、彼の残した論文には、文化の話がしばしば登場します(Gendlin, 1997)。

このシンポジウムでのキーワード「交差」が発表された論文「交差と浸ること ── 自然的理解と論理的構成との境界面に迫るための幾つかの用語」の結論部でも次のように書いています。

「交差においては、事実は何かの再現、正確な写しでは有り得ない。むしろ交差することが出来る—意味を成すことが出来るという事実が有るのである。我々は異なる経験と異なる文化を超えて互いを理解できる。それというのも、交差を通して、我々が互いの中に双方が以前それではなかったものを創り出すことが出来るからである。意志伝達と意味を成す事は予め存在していた共通性に依るのではない。それではまるで我々は既知の事しか理解できないことになってしまう。しかしそれは誤解でも歪みでもない。そうではなくて、我々が正確かつ厳密に理解されるとき、それが生じるのはそれが相手の中でどのように交差したかを我々が非常に熱心に聴こうとするときである。交差は相手の中に、彼らにとって、また我々にとって新しい何かを創造する。そのことが我々が相手の反応に耳を傾けたがる理由であろう」(ジェンドリン, 1995)。

ジェンドリンはこの論文の前半で、慣習的な比喩に触れ、後半ではそうした慣習も含めて言葉とその意味が本源的には創造的な交差であることを主張したのでした。

さて、文化人類学という学問は、1922年にマリノフスキーが定式化したあり方に沿い、異文化の「現地人の視線(from the native's point of view)」を理解し(マリノフスキー, 1967(1922))、それを以って自文化の人びとの自明性を揺さぶる学問です。なのでここからは留学生の視点を意識しながら、前半で慣習的な交差のあり方を想像し、後半で創造的な交差のあり方を想像してみたいと思います。ただ留学生の研究を読んだうえでの話ではないので体験的な話になることはご了解ください。

多様な文化が集い交差する場としての大学での葛藤

私自身はオーストラリア先住民(約250言語あるうちの1言語アランタ語という2000人ほどの言語集団)を20年ほど研究してきました。そこでは都市を離れると識字率5%という現実がある世界でした。

他方で、研究者としてフィールド以外の海外に出かけるようになると、インド、ドイツ、カナダ、ブラジル、ポーランド、アメリカに1週間程度滞在してきました。こうした経験から第一に言えそうなのは、同じ日本の大学に来るにしても、オーストラリア先住民のような文化的背景から来るのと、欧米諸国のような文化的背景から来るのとでは、それぞれの学生が日本と交差する状況が異なるだろうな、ということです。

文化人類学では、西洋の人びとが東洋を眼差すあり方に、「オリエンタリズム」という東洋への特有の見方が共有されてきたことが指摘されてきました（サイード, 1993（1978））。具体的には、西洋人にとって東洋は自らとは異なる「エキゾチック」な地域であり、かつては栄えていたが、今はそれを自らではどうにもできずにいるので、西洋人がその開発を手助けしてやらねばならない、といった見方でした。

西洋から見た時の日本が、今もこうした期待を抱かせるものである可能性はあろうかと思います。逆に、アジア・アフリカ諸国から見る時の日本は、東洋が西洋を眼差す時のようなあり方の反復であるかもしれません。

第二に言えそうなのは、それぞれの異なる文脈から日本に来るにせよ、それぞれが自らの環境で交差していた言葉と状況との交差は、みな日本語空間においては宙づりにされるということです。いずれの出自から来たにせよ、一定の知的能力と、海外に行ける金銭的資産、またそれらを結び付ける社交的能力はそれぞれの文脈内で抜きんでたものがあったはずです。それが一時的にでも宙づりになる経験は、「オリエンタリズム」論に沿って想像すると、西洋から来た場合、大人が子どもを眼差すようにあり得るので、寛容になり得る半面、憤懣を抱え得るかもしれません（cf. ベイトソン, 2000：162-3）。逆に、東洋から来た場合、子どもが大人を眼差すようにあり得るとすれば、憧憬的であり得る半面、諦め的になり得るかもしれません。

第三に言えそうなのは、日本の住民がオリエンタリズム的眼差しを胚胎させている時、その当該学生がやってきた地域により、周辺住民たちから「外国人」「白人」「黒人」「男性」「女性」（これらの語彙は文化人類学では、各文化内での意味しかないので、いわゆる、という意味で「」で括っています）といった言葉や、近々に生じた事件事故等に彩られた視線を投げかけられ、これは留学生の望むと望まざるとに関わらずもたらされる交差になり得ましょう。

こうした交差は、日本の話者からは特におかしいと思われることもないかもしれませんが、当該の学生からすれば、自分の理解と一致していたり、良い意味でずれていれば、特には問題化しないでしょうが、悪い意味でずれている場合には問題化されるでしょう。それは、当事者の視点からすれば、周囲からの理解や誤解にまみれる体験となるでしょう。

通常、日本の学生でも大学で授業を受けるのに必要なエネルギーは相当なものですから、その前提でこうした経験をしていればかなりのストレスになるでしょう。もし、学生相談室に来る前にこうしたことがあれば、学生相談室にくること自体にもかなりの「葛藤」があるはずです。以上が、慣習的な交差で想像される「葛藤」の側面でした。他方でジェンドリンがこの概念を、創造的に用いた側面を思い出し、ここからは「共生」の側面を想像していきましょう。

多様な文化が集い交差する場としての大学での共生

私自身の体験した例から言うと、オーストラリアでアフリカ系移民の女性が人気のコメディアンになったことがありました。彼女の話の極めつけの箇所は、オーストラリア人の挨拶において、「see you later」という紋切り型の定型句が、移民としてきた彼女には「後で会いましょう」って、「いつ、どこで？」と無限に近い不安感を掻き立てた、という話でした。「see you later」は、「じゃぁまた今度」という言葉と一緒で、「今度」には特定の日時を意味しません。しかしアフリカ系移民であった彼女は疑心暗鬼になり、それをオーストラリアの聴衆に英語で説明できる今であれば笑い話として話せるという事例でした。

こうして、異文化の人がその交差のあり方を変えて、話者にその言葉を戻すと、時折それが創造的な作用をもたらすことがあります。例えばアランタ民族の女性が自らの体験記を英語に翻訳する際に生じた話があります。彼女はネイティブ並みに英語も話せましたが、その英語をチェックしていたネイティブのオーストラリア人男性に聞くと、彼女の英語は時折、既存の意味を拡張して使うことがあるので、その英語をチェックしているのだと言っていました。彼は逆に彼女からはアランタ語を学んである程度話せるようにまでなっていましたが、実はその彼が、彼女から聞くアランタ語は詩的に響くことがあるのだと言っていたことがあります。これはおそらく、アランタ語の話者にとっては日常的な語りなのに、異文化の彼には意味を拡張して聞いてしまい、詩的に響いたのではないかと想像されます。敬意を以って接すると、意味のズレも創造的に聞き取られ啓発的になるのです。

先程の疑心暗鬼と詩的な響きの間にあるものとは何でしょうか。海外から、日本を研究したことで、わたしたちの日本の見え方を創造的に変えたという事例は、『日本の村須恵村』『須恵村の女たち』『菊と刀』『近代化への挑戦』『内なる外国』『歴史で考える』『敗北を抱きしめて』『批判的想像力のために』『日本の児童養護』『若者問題の社会学』など枚挙に暇ないのですが、実はこれらの多くが西洋人の書いたものと重なります。これは日本の読者が一定の敬意を西洋に払ってきたからではないかと思うのです。なので逆にここで私が注意を促したいのは、私たちが東洋やアジア・アフリカ諸国からの声に熱心に聞き入る工夫をしてきたでしょうか、ということです。母語とする人々からすれば時には言葉の誤用に響くのだけれど、問題の裏側にその人の蓄積してきた交差に耳を傾ければ、彼らの独自の表現が詩的に響く可能性があるかもしれません。

大学を共生の場とするために

だとすれば、交差を創造的に受容し交差させる場として大学を作り直すにはどうしたらいいでしょうか。学生相談室では守秘義務があるので、むしろそうした場は半歩外にあるリトリートの場やサークルの場などが有用になりそうです。

それは言葉の交差を愉しめる場、詩などの表現の創造性を愉しめる場と接続することが大切になるかもしれません。話し言葉が苦手な人たちもいますから、文字での交差を愉しめる場も有意義そうです。

また、これは日々相談室に携わっている先生方には難しいのでしょうが、異文化研究者と連携すれば、創造的に交差していける留学生のヒントを、相談室に来ずに工夫していけている人たちのなかから見出してこられるのではないかとも想像します。

こうしたことができれば、大学は単に留学生との共生の場になるばかりではなく、将来的には私たちが国内の日系日本人として暮らす日に向かっての共生の場にもなるのではないでしょうか。

参照文献

ベイトソン　2000（1940）「国民の士気と国民性」、『精神の生態学』佐藤良明訳　新思索社：150-171

マリノフスキー、ブラニスラウ　1967（1922）「西太平洋の遠洋航海者」増田義郎訳、泉靖一編『マリノフスキー／レヴィ＝ストロース』世界の名著59　中央公論社
サイード、エドワード　1993（1978）『オリエンタリズム』今沢紀子訳　平凡社
ジェンドリン、ユージン T. 1995「交差と浸ること」村里忠之訳
http://previous.focusing.org/jp/gendlin_crossing_jp.html?fbclid=IwAR1LtcAXMOARjArbdz4T1xI1xGMAftsUoCOOylSlgrUJqRTOOD1Aq3ntRNs
Gendlin, Eugene T. 1997 The Responsive Order: A New Empiricism.
https://focusing.org/sites/default/files/legacy/pdf/responsive_order.pdf

「心理学の視点から」

指定討論者２　高石　恭子

みなさまこんにちは。この企画のご案内をいただいてから半年ほどの間に、世界も大学もまるで異なった状況のなかに置かれることになりました。これは、不可逆的な事態です。25年前に私の勤める大学は大きな震災を経験しましたが、そのときの「震災後」と同様、「コロナ後」は、私たちの世界観や教育観を大きく変えていくことでしょう。長い年月をかけ、私たちは傷つきを受け止め、受け容れ、そこから新たな何かを創造していくことになるのだと思います。

当初の私の役割は、パネリストの先生方の体験に基づいたご発表に心理学の視点からコメントをするということでした。しかし、今回は「多様性」を手掛かりに、高等教育の一環としての学生相談に携わる私がこの半年間に考えてきた内容を中心に述べさせていただきます。

わが国の高等教育において「多様性」はどう捉えられてきたか

学生の多様性や多文化の問題が、わが国の高等教育においてこれまでどのように論じられてきたかをふりかえると、大きく２つのフェーズがあることが見えてきます。

たとえば日本高等教育学会が年１回発行する1998年創刊の研究誌「高等教育研究」の特集テーマを追ってみると、「学生」を取り上げた号は、第11集「大学生論」(2008年）と第21集「学生多様化の現在」(2018年）の２集があります。

前者は、いわゆる「大学全入時代」を迎え、進学率の上昇と入試の多様化によって生まれた新たな学生像を実証的データに基づいて描き、有効な教育システムを模索するという目的で編まれています。そこではまだ、学生の多様性の価値について正面から問われることはなく、「学生の流動化」（編入学等の高等教育機関間の移動や社会人の入学）を扱った論文が１編あるのみです。そして、その内容は、1991年の大学設置基準の改正（大綱化）以後、制度上は多様な学び方が可能になったにもかかわらず、なぜわが国の大学では相変わらず18歳から22歳までの学生が大半を占めていて流動化しないのか、なぜ多様化は進まないのか、という問題提起となっています。

一方、その10年後に編まれた後者の特集では、「多様化」や「多様性」に対するわが国の高等教育の姿勢を批判的に見直すスタンスに変わっており、“すでに在る”多様性にどう向き合うかという観点からの、現場の臨場感が伝わる論考が並んでいます。新たなフェーズの始まりです。

このような研究視点の転換が起きた背景の一つに、2008年に文部科学省が策定した「留学生30万人計画」を皮切りに、高等教育のグローバル化を推進してきた政府の方針があるのは確かです。その後、各大学は、文化的多様性がもたらす影響を十分に想像して備える間もなく、政府の方針に従って留学生の招致や日本人留学生の送り出しに注力し、結果として生じた多様化の問題に、急いで対応を迫られる事態となったとみるのが妥当でしょう。

またもう一つの背景として、この10年間はデジタル・ネイティブ（物心ついた時から携帯端末が身近にあり、インターネットを通じて国や文化を超えた交流が日常的に可能な世代）が次々と高等教育の場で学ぶようになった時期だということがあります。情報テクノロジーの進歩と共に、大学等の管理者の意図を超えたスピードで現実の多様化は進んでいます。たとえばこの春学期、学生たちは新型コロナウイルス感染症拡大防止のため大学から離れることを命じられましたが、外国人留学生は帰国した海外から、また日本人学生は通える自宅だけでなく遠い地方の実家から、遠隔授業を受けています。

人種も、国籍も、居住地も、家族背景も、経済状態も、心身の個別の事情も、さまざまな学生が一つの大学というコミュニティを構成することがすでに多くの大学でも起きており、この状態はいずれ緊急事態ではなく日常となるだろうと思います。

このように急激に進む現実と並行して、「高等教育研究」の後者の特集（2018年）に掲載された論考が揃って指摘しているのは、現在点から振り返ったとき、わが国の高等教育において「多様化」は、長らく「質の低下」を意味する言葉としてエビデンスなく用いられてきたという残念な歴史です。18歳人口のより多くが高等教育に進学するということは、能力や学習意欲のより低い学生の増加を意味し、その“悪化”をどう食い止めるかが教育行政でもメディアからも問われていました。今日的な意味での多様化が「水平的な」性質をもつとすれば、こちらは「垂直的な」多様化であり、もっぱらその下方への拡張がイメージされていたと言えます。高等教育の「質保証」「質の向上」という目標は、わが国では実質的に、垂直のものさしで測られる階層のなかでより上を目指すという、狭い競争を意味していました。そのことへの反省が、ようやく高等教育研究者の中から表明されるようになったと考えられます。

グローバル化時代の教育におけるパラダイムシフト：「克服されるべき問題」から「目指されるべき価値」へ

視野を世界の先進諸国に広げると、わが国に10年以上先駆けて、教育における多様性に対する理解の枠組の変化が起きていたことがわかります。その背景には、出生地とは異なる国で生活する移民や複数の国籍保持者が増加し、その人々の教育において「多様性」の価値を意味づけ直す必要が生じたことがあります。

OECDは、文化的多様化という時代の大きな流れのなかで、多様性に拓かれた教師の育成を重要課題として、2010年に政策提言書を発表しています（「多様性を拓く教師教育：多文化時代の各国の取り組み」OECD教育革新センター編, 斎藤里美監訳, 2014）。この提言の意義は、それまでの、マイノリティに対してマジョリティへの同化・適応を促す政策（たとえば移民に、移住した先の国の言語を用い、文化に同化するよう求めるなど）から、「移民やマイノリティの多様性を価値として認め、多様な人々の社会的包摂を教師教育の基本理念と位置づけた」ところにあります。多様性は「克服されるべき問題」ではなく、それ自体が「目指されるべき価値」であるという転換、すなわち教育におけるパラダイムシフトが起きたということです。

ここで登場する「包摂」とは、ユネスコとスペイン政府によって1994年に開催された「特別な教育的ニーズに関する世界会議」の「サラマンカ声明」で初めて提唱されたinclusionという概念の訳語です。さまざまな社会的障壁のために特別な教育的ニーズをもつマイノリティの子どもたちを、排除するのではなく、分離保護するのでもなく、多様性を“価値あるもの”として含み込み、一体化した環境のなかで育てていこうという宣言です。

先に挙げた提言書で、OECDは多様性を、「多くの要素とレベルを含む多面的な概念であり、年齢、民族性、階級、性、身体的な能力／特質、人種、性的指向、宗教、教育的背景、出身地や居住地、収入、婚姻状態、親の地位や職業等を含むが、これに限らない」と確認した上で、教育における多様性を、「発達の可能性を広げ、学習を促進するものであり、文化的、言語的、民族的、宗教的、そして社会的経済的な相違を含むものである」と定義しています。本提言書で言う教育とは、主に中等教育までを扱っていますが、この新たな理念が高等教育や社会教育においても適用されることはもちろんです。わが国では移民問題は欧米諸外国ほどの喫緊課題になっていませんが、留学生や観光客、労働者家族などのインバウンドの急激な増加に伴い、「多様性」に対する意識変革が、研究者だけでなく現場の教育者の間でも始まりつつあると感じます。

多様性の理念と現実

ところで、多様性がどのように人間の成長に資するのかは、理論的考察と実践研究を通した地道なエビデンスの蓄積が、今後重要になってくると思います。なぜなら、各国の移民問題にみるように、多様性の包摂、すなわち共生は、さまざまな葛藤と摩擦を抱えることでもあり、具現化するためには強い動機づけが必要だからです。

延期となってしまった東京五輪・パラリンピックの大会ビジョンのコンセプトの一つは、「多様性と調和」だったことを覚えておられるでしょうか。世界はまさに、inclusionの理念を掲げ、実現に向けて具体的な取り組みを行い、わが国もそこに歩調を合わせようと進んでいた矢先の、コロナ問題発生でした。「多様性」は、理念としては受け入れられても、実現には多くの困難を伴います。自分たちのコミュニティ（組織、地域、社会、国家）に新たな何かが侵入すると、私たちは不安になり、自分を守ろうとして異物を排除しようとします。その衝動をコントロールすることがどんなに難しいかは、感染拡大の初期にアジア人が各国で暴言・暴行の被害に遭ったことや、国内でも公共交通機関の中でマスクをしていない少数の乗客が攻撃された数々の報道からも明らかです。

また、“Stay Home”という政府の促しにより、人々が職場や教育の場から家庭に戻ったときに顕在化したのは、さまざまな「格差」、すなわち多様性でした。大学の教室で学んでいる限り、平等で一体であったはずの学生たちが自宅に戻ったとき、遠隔授業に集中して取り組める個室や機器の有無だけでなく、家族や経済状況など、さまざまな背景が露わになったのです。そのことに傷ついた学生や教職員は、世界中に現在進行形で存在しています。

もっと身近な大学の日常を思い出しても、同様の構造はいくらでも見つかります。近年、学生相談と学生支援は多職種の「連携と協働」によって行われるべきものであるという理念が私たちの間には浸透していますが、実際に個々の事例において、留学生や障害のある学生などマイノリティの人々に向けた連携支援の取り組みにおいては、関係者の摩擦と葛藤、ときには深刻な対立を生むことも珍しくありません。支援を担う教職員やカウンセラーが攻撃の対象になり傷つくことも、現実には生じます。移民や難民をめぐる大衆の反応と同様、多様性の包摂は、個人のレベルでもさまざまな感情的反応を生じずにはおかないのです。

それにもかかわらず、私たちはなぜ多様性の包摂の実現に向けて取り組まなければならないのでしょうか。葛藤と摩擦と傷つきを乗り越えた先に何が得られるのか、より具体的に示されることが重要です。得られるものの価値が納得され、実感されることによってはじめて、私たちは、水平・垂直の両軸を含む多様性の実現に向けた取り組みを、もっと力強く展開できるようになるのだと思います。

学生相談カウンセラーは多様性に対して何ができるか

ところで、多様性（diversity）という言葉は、語られる領域によって、その含意は微妙に異なります。インクルーシブ教育の理念として掲げられる以外に、ベンチャー企業ではイノベーション（技術革新）が生まれるための必須条件として、また行政機関ではマイノリティの人々への差別解消の条件として掲げられています。これらは、理念としてはわかりやすいけれども、日々の学生相談実践を支えてくれるには不十分に感じられます。

何が欠けているかを考えてみたとき、ここに足りないのは「力動」ではないかと感じます。多様性は、鉱石の多様な成分のように静かに調和して存在する何かではなく、環境と人が常に作用し合い、要素と要素がぶつかり合い、影響を与え合って変化していく動的なプロセスだと捉える視点が、もっと必要ではないでしょうか。まさに、このパネルディスカッションのテーマにも掲げられているとおり、「交差する」という部分です。

動的なプロセスとしての「多様性」とは何かを理解するにあたっては、より根本的に、人も生物の一つの種であるということを踏まえ、生物学における「多様性」の概念を理解しておくことが、高等教育と学生相談にとっての多様性を考えるうえで大いに参考になると考えられます。

一般に、生物の多様性（種や個体がさまざまなバリエーションに分化していくこと）は、変化する環境への適応性を高める戦略として理解されています。しかし、生物学者の福岡伸一は、近年の著書（福岡, 2018）の中で、それ（適応性を高めること）は生物多様性の意義の一面でしかなく、むしろ、生物と環境との「動的平衡」の強靱さや回復力の大きさを支えることのほうに重要な価値があると主張しています。彼によれば、ヒト以外のすべての生物は自らの「ニッチ」を守ることによって、多様性を構成しています。ニッチは一般に言われている「隙間」ではなく、本来は、それぞれの生物がもつ小さな窪み＝生態学的地位（福岡は「分際（ぶんざい）」と訳しています）を意味しています。

わかりやすい例を挙げると、たとえば南米ガイアナのカイエチュールという断層帯にある滝のそばで、壮大な瀑布から飛散する水を溜めた植物の葉と葉の間で卵から孵り、オタマジャクシから成体になり、またそこで産卵し、一生を過ごすことが知られているゴールデンロケットフロッグという小さなカエルは、文字通り小さなニッチ（窪み）から瀑布との関係を生きることによって、生態系全体の動的平衡の実現に寄与しています。どんな小さな要素も、その要素を内包する環境全体と常にダイナミックに関わりながら、多様性の世界を構成しているということです。

もう一つ、私たちが動的な多様性ということを考える際に参考になるのは、明治から昭和初期にかけて独創的な研究を行った、生物学者で博物学者の南方熊楠の考え方です。粘菌の研究で知られていますが、日本人としては最も早く、生物多様性の考え方を提起した人です。粘菌（真性粘菌）とは、アメーバ状に移動して捕食する粘の状態と、菌の状態とを往復する、動物にも植物にも分類できない生物で、しかも粘から菌へ、菌から粘への変化は偶然の因子によるところが大きく、法則性がみいだせません。南方は、長い米英滞在での異文化体験と、粘菌研究から学んだ偶然性や生と死の連続性、新種・珍種を発見するきっかけとなった自らの無意識の心的過程への関心などから、臨床心理学（なかでも分析心理学）を理論的背景に持つカウンセラーとしての私にも深く共鳴できる世界観を提示してくれています。

なかでも有名なのは、南方研究者の鶴見和子（鶴見, 2001）が「南方曼荼羅」として紹介している図なのですが、要点を言葉で説明するとこう言えると思います。自然科学は直線的な因果関係で世界を説明するけれども、生き物の世界は因果だけでは決して説明ができない。無数の「因果」は常に偶然にぶつかり合い、関係することによってその結果は変化する。仏教ではそのような偶然の出会いは「縁」と呼びますが、この「因果律（必然）」と「縁起律（偶然）」の錯綜を同時に捉えることによってこそ、この多様性の世界を的確に理解できる、ということです。さらに、南方は因果の交差する場を「萃点（すいてん）」と名づけていたことも鶴見は紹介しています。

ここから私たちがこれからの学生相談にとって学べることは何かを考えると、第一に、「多様性」はその生物学的必然性の上に、社会的財産として、また個人の発達を促し、創造性を生み出す動的環境として「目指されるもの」であると捉えるまなざしを持ち続けることの大切さであろうと思います。教育の理念として描かれる際にみられがちな、予定調和的な状態としての多様性ではなく、常に因果と縁起がぶつかり合う多様性です。次に言えるのは、私たち学生相談カウンセラーに求められているのは、ニッチ（それぞれの窪み）を生きる個々の学生に寄り添い、偶然の出会いによって摩擦や衝突が生まれたときに、その「萃点」にとどまり、破壊を食い止め創造が生まれる過程を支えるという役割であろうということです。

近年の学生相談において「連携と協働」という言葉で表されることの多い、萃点＝交差する点での活動は、実際には非常にエネルギーを必要とし、しばしば困難を伴うものです。それでも、「個」に徹底的に寄り添うことは、多様性を包摂する「全体」を豊かにすることと矛盾しないという全体像を見据えておくことによって、私たちは多様性の価値に向かって少しでも進んでいけるのではないかと思います。

参考文献

福岡伸一　2018　新版　動的平衡２　生命は自由になれるか　小学館新書
日本高等教育学会編　2008　特集　大学生論　玉川大学出版部
日本高等教育学会編　2018　特集　学生多様化の現在　玉川大学出版部
OECD教育研究革新センター編　斎藤里美監訳　2014　多様性を拓く教師教育　多文化時代の各国の取り組み　明石書店
鶴見和子　2001　南方熊楠・萃点の思想　未来のパラダイム転換に向けて　藤原書店

ディスカッション：4名のパネリストの発言を伺っての感想と問いかけ

●吉良　安之

パネリストの先生方からの４つの発言文章を読ませていただきました。それぞれのご経験や視点に基づいた文章であり、読みながら、わくわくしてきました。生気があって新鮮な文章が並んでいて、このパネルディスカッションを企画してよかったなあと嬉しくなっています。

私からは、それぞれのパネリストに感想と問いかけの文章をお伝えしたいと思います。長文でなくても構いませんので、連想されることなどを書いていただきたいです。また、先日いただいた発言文章で言い足りなかったことを補ったり、他のパネリストの方々の文章を読まれて何か思われるところがあれば、それを言葉にして下さっても結構です。どうぞよろしくお願いします。

＜山下先生へ＞

読ませていただいて私が感じている感覚は何なのだろうと探っていると、「痛み」という言葉が浮かびました。異文化との接触点で山下先生が感じてきたことは、「切なかったり、悔しかったり、もどかしかったり」と表現されているような痛みだったのだろうと思いましたし、その痛みの経験から、「ありのままの自分」、「形容詞のついていない自分」を見てもらえることがいかに大きな出来事（目から鱗の体験）であるかを実感されたのだと思いました。誤解。勘違い。偏見。差別。伝わらなさ。噛み合わなさ。これらの体験を私たちはできれば感じたくないし、避けたいのが常です。しかし人との関わりのなかで、そのような体験はやはり降りかかってきます。そのようなとき、その体験をどのように受けとめ、どのように行動するのか。とても苦しいことですが、それが大事なのではないかと思いました。そのあたりについて、山下先生がどう思われるか、言葉にしていただけたらありがたいです。

＜黄先生へ＞

海外への留学について、黄先生はご自身の内面に切迫した衝動を感じていらっしゃったのだなあと思い、それは山下先生とも共通するように感じました。しかし黄先生は日本での生活を、「８割は共通していることで安心感があるとともに、２割の異なることについて興味を持って接近できた」と述べられています。医師となるまでの常に失敗できないと感じる窮屈な心の状態から、留学後は心の扉が開いたような体験をされたのだろうと思います。来日後、アルバイトをしながらも「体も気持ちが軽かった」とのこと、そして「私は私でいいのだ」という開放感。自由を手に入れたという感覚でしょうか。その自由のなかで、黄先生は自分のためにカウンセラーという仕事を見出されました。そしてそれは「とても奇妙な体験で、まさにカウンセラーとクライエントの異文化の交流だと思う」と書かれています。黄先生にとってカウンセリングの魅力とは何なのでしょう。ぜひお話しください。

＜飯嶋先生へ＞

ジェンドリンの論文の引用に始まって、慣習的な交差と創造的な交差について語っていただきました。慣習的な交差として、西洋から見た日本、アジア・アフリカ諸国から見た日本という、いささか定型的な見方があること、そして「当該の学生からすれば、自分の理解と（中略）悪い意味でずれている場合には問題化されるでしょう」という言葉から、山下先生が経験された「痛み」を連想しました。しかしそれを超えて、創造的な交差もあり得ることに目を開かれました。アランタ民族の語るアランタ語が英語ネイティヴの人には詩的に響くことがあるという逸話です。「敬意を以って接すると、意味のズレも創造的に聞き取られ啓発的になる」と記されているように、まさに関わる姿勢（敬意！）が交差の中身に影響すると言えそうです。ただ、自分でも気づかずに定型的な見方に捕われることも多々あります。それに気づき、それを超えて関わる姿勢を持つための手がかりは何なのでしょうか。お聞かせください。

＜高石先生へ＞

多様性を「目指されるべき価値」とするパラダイムシフトが起きていること、しかしそれを理念では受け入れても実現には多くの困難があることが述べられ、葛藤と傷つきを乗り越えた先に何が得られるのか、地道なエビデンスの蓄積が必要になる、という問題提起をされました。そして学生相談に何ができるかを論じるなかで、足りていないのは作用し合い、ぶつかり合い、影響を与えあって変化してゆく動的プロセス（＝力動）の視点だと提言され、さらに「因果律と縁起律の錯綜」というところにまで先生の思考は及んでいます。この力動、縁起律という視点は、ジェンドリンの交差の議論（AとBが思いがけずにぶつかることで次の展開の可能性が開かれる）とも通じる点があることに驚きました。私からの問いかけですが、われわれ学生相談カウンセラーにとって「小さな窪み（ニッチ）に寄り添う」ことは日々の実践に本来的に内在する姿勢だと思うのですが、その姿勢が「多様性＝創造性を生み出す動的環境」と捉える「まなざし」につながっていくには、さらにもう一歩の展開が必要となるように感じます。そのことについて、先生の考えを伺いたくなりました。

リプライ

●山下　聖

吉良先生、ご感想と問いかけをありがとうございます。黄先生、飯嶋先生、高石先生からも多く刺激をいただき、ワクワクが止まりません。

さて、吉良先生が感じた感覚を「痛み」と表現されたことは、非常に興味深く受け止めました。確かに、留学先や帰国後に感じた感覚は直視することを避けたいような何かであったように思い出しますし、苦しかった気持ちもチクチクとした感覚として今でも想起されます。吉良先生が言語化してくださった「痛み」をしばらく味わってみたところ、私の中に「恐れ」という言葉が浮かんできました。疎外感や未知への不安等、私は異文化の中で様々な形の「恐れ」を抱いていたのだと思います。また、帰国後は自国文化の中でも受け入れられないのではないかという「恐れ」も抱いていたのかもしれません。しかし、それらの「恐れ」をどうにかやり過ごす中、ありのままを受け入れてもらうことで安心感を持ち、生き延びることができたように思います。高石先生が多様性の包摂の実現について語られた一節に、「葛藤と摩擦と傷つきを乗り越えた先に何が得られるのか、より具体的に示されることが重要」というお言葉がありました。当時は全く知る由もありませんでしたが、「痛み」の先にある希望的な見通し（安心感が得られること）を示し、寄り添い導いてくれる存在がいたらどんなに心強かったろうと思いました。吉良先生の問いをきっかけに、今となって気づくことができた後付けの意味となりますが、「痛み」があったからこそ、「恐れ」に気づくことができたのかもしれません。「痛み」を伴う体験はできるだけ避けたいものですが、身体にとって痛みが防御反応であるように、私は異文化に関わる体験の中で「痛み」によって守られていたのかもしれないと思います。

仮に、留学生が「痛み」を伴う体験をしているのであれば、私はどのように寄り添うことができるのだろうかと考えます。吉良先生が問いかけてくださった「その体験をどのように受け止め、どのように行動するのか」を考えるには何が必要なのでしょうか。一般論ではなく個人的な体験の話で言えば、留学生は留学生として扱ってもらい、守ってもらうことを望む反面、留学生として扱われずにその社会の一員として皆と同じように扱ってもらいたいという二面性があるのではないかと思うところがあります。留学生というステータスは留学先で生きていく上では必要なものです。しかし、そのステータスは留学先で付けられた肩書でしかなく、その人の本質を表す言葉ではありません。留学生である自分を尊重しつつ、その人の「ありのまま」から目を離さない姿勢でいること、そして周囲がそれに敬意を払う環境が成り立つことが、体験の受け止めやその後の行動促進に重要な役割を果たすのではないかと思います。

黄先生の「お互いの文化について『わからない』ことは、壁でもあれば、時々窓でもある」というお言葉にあるように、多様性の交差点は一見、壁のように見えるが、実は共存のためには重要な窓が開かれている場合もあると思います。また、飯嶋先生の「私たちが東洋やアジア・アフリカ諸国からの声に熱心に聞き入る工夫をしていたでしょうか」という問いから、既存の見方に囚われ過ぎていると、価値観の違う人々の言葉やあり方を尊重することで生まれる新しい何かを見逃してしまい、多様性の交差の可能性を最大限に活かせない事態に陥ってしまうのではないかと気づきました。新たな可能性に開かれた視点、他者への敬意、そして本質を見つめる姿勢により、交差点から生まれるものの可能性が広がる気がしてきました。

リプライ

●黄　正国

吉良先生、飯嶋先生、高石先生、貴重なコメントをいただき、誠にありがとうございます。

飯嶋先生、山下先生、高石先生の文章を読ませていただき、大変勉強になりました。飯嶋先生は、「交差」の視点から「多様な文化」、「大学」、「共生」などのキーワードについて重要な知見を示してくださったと思います。山下先生の「『多様であること』と『個人のありのまま』の両面を尊重する」という考えに大変感銘を受けました。高石先生は日本の大学におけるグローバル化の理念と現実について俯瞰して、「『個』に徹底的に寄り添うことと多様性を包摂する『全体』を豊かにすることと矛盾しない」というお考えを分かりやすく説明してくださったと思います。先生方のご意見を今後の仕事と生活に参考にさせていただきます。

吉良先生から「黄にとってカウンセリングの魅力とは何か」という問いかけをいただきました。それについて以下のように考えました。

「質の良い関係」における「生き生きした関わり」

私にとって、これはカウンセリングの最も大きな魅力だと思います。

私が留学体験から学んだことの一つとは、「生命力のある美しいものは、質の良い関係と生き生きした関わりから生まれる」ということです。花や森や星空などの自然のものはそうだと思いますし、人類の言語や芸術や科学も、人間と人間、そして人間と世界との質の良い関係と生き生きした関わりから生まれていると思います。「質の良い関係」とは、自他の境界が明確で、お互いに安心して共存できる関係だと思います。自分の存在（肉体・精神）が他者に認められて、他者に見られても安心できる状況です。また、「生き生きした関わり」とは、自分の世界に閉じ込めるのではなく、他者との間に物質（栄養）と情報が自由に流れる様子だと思います。

また自分を例にさせていただきますと、中国の「古い家父長制の家庭」と「境界があいまいな親族関係」で生まれ育ったので、大学を卒業するまで、「質の良い関係」と「生き生きした関わり」は得られにくかったです。枠から食み出すことは許されず、「自分とは誰か」、「何をやりたいか」、「何が正しいか、何か正しくないか」などの判断基準が他者に定義されていました。親族からの批判と攻撃を受けないために、殻にこもった生き方しかできませんでした。いわゆる「交差」が自発的に起こり得る環境ではなかったです。そのためか、日頃から「やる気が出ない」、「勉強に集中できない」という問題を抱えていました。

留学したことで、過去の関係性の束縛から抜け出して、一から周りと関係を築くことで、本当の意味の「交差」を体験することができました。また、カウンセリングという仕事に出会ったときに、自分の中ですべての体験がつながりました。「人間は誰でも自分の存在を認められたい、他者との交流の中で自由に成長し、幸福を追求したい」と実感しました。自分がこの体験から自由な生き方を学んだため、来談したクライエントに「質の良い関係」と「生き生きした関わり」を提供することは自分の使命と役割だと感じました。

「概観効果（Overview Effect）」

作家のFrank White（1987）は、著書「The Overview Effect: Space Exploration and Human Evolution」の中で、宇宙から地球を眺めたことのある宇宙飛行士に共通する体験を「概観効果（Overview Effect）」と名付けました。本来は外から眺めることが有り得ない地球を、宇宙空間という特殊な環境から眺めることで、心の中に起こる意識変革のことです。日本で生活しながら過去の自分を眺めていた時、窮屈な環境から感じていた悪意と抑圧について、不思議にちっぽけなもののように感じました。

カウンセリングは、私とクライエントに大きな視野を提供してくれて、他の選択肢への発見を試みながらみずみずしい「交差」の体験を実現する場だと思っています。

参考文献

White F, 1987. The Overview Effect: Space Exploration and Human Evolution, Library of Flight.

リプライ

●飯嶋　秀治

まずは吉良先生、山下先生、黄先生、高石先生、ご発表をありがとうございました。ペーパー・ディスカッションは初体験だったのですが、他の先生方の発題を聞き流すことがないというのがこのあり方の特徴のようですね。これは発見でした。

吉良先生からの問いかけに応えたいと思いますが、その前に共有したいことから述べさせてください。

私は2003年頃に立命館アジア太平洋大学で非常勤講師をしていたこともあり、山下先生の発表では、大学が学内に閉じるものではなく、学外にも延びるものだということを再認識させられました。地域社会としては、立命館ができてから別府の平均年齢が下がったというのは有名な話です。また高石先生も述べられていたように、SNS時代にあって、他人には容易に把握されない本国とのつながりと、そのことが周囲に共有されないことが、その国際学生のあり方に大きく影響することがあるのだろうなぁ、と実感しました。

また黄先生の発表からも興味深い話がいくつもありました。特に、日本語の細部が分からなくても、逆に声から会話が推察できた、というお話や、自分が外国人であるということを呈示して話題を進めるお話しなどには、大変興味深いお話でした。ひとはもしかしたら、言葉の細部にこだわることで、その声のトーンを聴き洩らしていることがあるのではないか、壁は乗り越えるだけでなく、うまくつきあうことが知恵なのではないか、と想いました。

先生方のお話しは私自身の体験に照らしても、よくわかるお話で、これこそジェンドリンが言う交差体験なのでしょう。こうして先生方の個性的な話を聞いていると、私自身が「留学生」という言葉でさまざまな可能性を見過ごしてきたのではないかと思わせられました。

さて、吉良先生からは「自分でも気づかずに定型的な見方に捕われることも多々あります。それに気づき、それを超えて関わる姿勢を持つための手がかりは何なのでしょうか」との問いかけがありました。ただちょっと恐れるのは、この場が日本学生相談学会という場で、所属している方はカウンセリング関係の方であることを意識しないと、とも思うのです。

私にはいまSNS上で交友をもっている知人がいますが、特にカウンセリング関係の方の投稿を見ていて一つの印象深いのは、社会科学系の先生方とは異なって、自分の仕事現場のことは書かないということと、書くことは身近で愉しい話題が多いということです。前者は守秘義務があるから当然でしょうし、後者は仕事があるからこその息抜きなのではないか、とも思います。もしそうだとしたら、定型的な見方がその方を閉ざしていると言うよりも、守っている側面もあるのではないか、そこを配慮しないと、ただそれを超えて関わる面だけを称揚して大丈夫かな？と思うのでした。

なので、定型的な見方で特段問題がない方には、その、ありのままを保つことでむしろいつか別の声に開かれる機会が訪れたりするのかもしれない、と思いました。

それを前提にお応えすれば、私自身が大学でやってきたのは、集中講義の先生方をお招きした時に、なるべくその授業に出席するようにしてきたのが手がかりになるかもしれません。そうすると同じ学生が私に見せるのとは別の顔を見せることがあり、自分が持っているその学生像も多様に変化してきます。

なので私は先生方がカウンセラーという立場以外でその学生さんを別の場でも見られる場所があると良いのではないかと思うのです。それは大学内のサークルかもしれないし、アルバイトの場かもしれないし、地域社会かもしれません。つまり別の交差と交わる。それが高石先生の仰られた、多様性の具体化になるのかもしれません。

リプライ

●高石　恭子

吉良先生、問いかけを有難うございます。また、日本から異文化の国へ飛び出し帰国後の葛藤を経験された山下先生、母国を飛び出し日本へ来られて天職と出会われた黄先生、異文化の少数民族を研究のフィールドにされている飯嶋先生、それぞれの実体験に基づく３名のご発言から、私も触発されるところが多くありました。最初の原稿は、「多様性」について紙数を多く費やしましたので（心理学というより高等教育論になってしまいました）、ここでは「交差」について述べてみたいと思います。

偶然の出会い（縁起）によって生じる交差点（萃点）に学生相談カウンセラーが学生と共にとどまり、その交差が破壊で終わらず創造に向かう一連の過程を支えることが最も求められているのではないかという私の提起に対して、吉良先生からは、「私たちの日々の実践に本来的に内在する姿勢だと思うのですが、その姿勢が『多様性＝創造性を生み出す動的環境』と捉える『まなざし』につながっていくためには、さらにもう一歩の展開が必要となるように感じます」と、その先を言語化することを促していただきました。

実は、私はお二人のパネリストの先生方から、その答えの手がかりが得られるだろうと想像していました。実際、想像した通りでした。

私も異文化へ飛び出したくて煩悶していた思春期があり、留学という形では叶いませんでしたが、20代になって一人で異国を旅したことがあります。今でも鮮明に思い出すのは、ヨーロッパから鉄道と船を何日か乗り継いでたどり着いたノルウェーの西端の港町で、交差点に立っていたときのことです。言葉も文字もわからず、自分が何者なのかも説明のしようがなく、社会的属性から遮断された「一人の人」として、私はそこに居ました。背後から何かが私の髪に触れた気配がして、振り向くと異国の男性が立っていました。当時はそんな田舎町に長い黒髪の東洋人が立っていることが本当に珍しく、思わず手が伸びたという様子でその人は微笑み、丁寧に会釈して去っていきました。その出会いの瞬間、私は身体の中に風が流れたような、何かが蘇るような不思議な感覚（敢えて言葉にすれば「畏怖」）に満たされたのです。

山下先生の言われる「ありのままの自分」として居ることのかけがえのなさ、そして飯嶋先生が言われるように、そのような在り方を、敬意をもって受け止める他者（異文化）と出会うことが、その人と他者の双方を変容させることを、このとき私は人生で初めて実感した気がするのです。

深い無意識や身体性の次元での「交差」も射程に入れた、カウンセリングや心理療法で起きる相互変容は、この動的環境を「守られ、構造化された場」で意図的に再現するしくみだと言えます。黄先生がカウンセラーという仕事に魅せられたのは、ご自身の体験されたことのエッセンスがカウンセリングや心理療法の中に在ると感得されたからではないでしょうか。つまり、吉良先生の問われる「まなざし」をもつために必要なもう一歩の展開とは、私たち自身が体験の中にとどまり、自らの変容を受け容れる勇気をもって進む過程のことだと思うのです。

異文化の交差は、国や民族間に限らず、異なる立場や多様な価値観をもつ人の間で、また個人の心の内でも意識と無意識の間で、乖離した複数の部分の間で、常に生じている現象です。その先に得られるものを示すため、「地道なエビデンスの蓄積が必要」という表現で私が言いたかったのは（もちろん数量化も必要ですが）、私たち自身が学生や大学組織と交差する「体験」を通して事例から学んだ多くの変容や成長について、より積極的に発信していく努力が求められているということです。

まとめ

●吉良　安之

各先生からのリプライ、どうもありがとうございました。読ませていただき、それぞれの方の思いと視界がさらにくっきりと伝わってきました。今回のパネルディスカッションは、やり取りを通じて相互に刺激し合うことで、意味のある言葉が生まれ育つ場になったのではないかと思います。

『多様な文化が集い交差する場としての大学を考える〜共生と葛藤〜』というテーマでの紙上発言とディスカッションでしたが、私自身にとっては、個別性に敬意を払いながらしっかり向き合っていくことを通じて多様性を価値あるものとして見出していけるのかどうか、ということが問われていることに気づかされる機会となりました。異文化は自分の外側にも内側にもあるわけですから、私たちはもともと多面的存在です。それを否認することなく、対話を続けることが求められているのだと思います。

このパネルディスカッションに“文章を読む”ことで参加された会員の皆様、いかがだったでしょうか。時間と空間を直接共有して対話を行ったわけではないので、場の雰囲気（空気）を共に分かち持つといった体験はできませんでした。しかし一方で、飯嶋先生も書かれていたように、話し言葉という宙に浮いた交流ではなく、文字を丁寧に吟味しながら考えて応答する時間を共に過ごしてきました。たまには、このようなスタイルも面白いのではないかという感想を持ちました。

では改めて、４名のパネリストの先生方、そしてご参加いただいた皆さまに心よりお礼を申し上げて、このパネルディスカッションを終了させていただきます。どうもありがとうございました。

第4部

座談会：学生相談の魅力

座談会

学生相談の魅力

<座談会の概要>

出席者は、九州大学キャンパスライフ・健康支援センターの常勤カウンセラー６名（第２部執筆者）。2020年12月のある日、大学内の広い教室で距離を取る形で実施された。２時間自由に話した。新型コロナ感染が広がったため、カウンセラー同士が直接顔を合わせるのは久しぶりだった。

吉良先生がメインのスピーカーであり、司会は高松里が担当した。

学生相談について、吉良先生に大いに語っていただく、という趣旨であったが、他の参加者もそれぞれ自由に自分の経験や意見を話してもらうことになっていた。

参加者は事前に吉良先生の「私のこれまでの実践研究の歩みを振り返る」（本書第１部に収録）を読んでいる。

（記：高松里）

（1）吉良先生と出席者との関係

【高松(里)】　では、始めましょう。おはようございます。こういう広い部屋で換気をしながらの座談会となりました。

今日は、吉良先生が中心ですけど、吉良先生が一緒にやってきた皆さんと本を作りたいと言われていました。この仲間の前で吉良先生がお話ししたいことがあるでしょうし、吉良先生にお聞きしたいこともあるでしょう。それから、皆さんから、「私はこんなふうに思うけど、吉良先生はどうか」みたいな意見も言ってほしいなと思っています。質問攻めではなく、どうぞ御自身の経験も適宜語っていただけたらいいかなと思います。

では、まず口火切りとして、吉良先生にちょっとお話ししていただこうかなと思います。私は吉良先生とは2年違いでして、私が北海道大学を卒業して九州大学に来たときに、吉良先生がM2で修士論文を書いていました。そのとき私は大学院に入るための研究生論文を書いていました。何十年のおつき合いでしょうね。

【吉良(安之)】　修論のときか。ですね、はい。

【高松】　すごく長いおつき合いです。吉良先生は大学院を卒業された後、琉球大学の精神科で働かれています。2年間ですかね。

【吉良】　2年間です。

【高松】　その後、九大に戻って来られて、六本松キャンパスのほうですね、そちらで主に仕事をされていました。その時に、皆さんもお会いしているのかな。

【吉良】　松下さんはうちの研究室の院生だったのよ。1年間だけね。

【松下(智子)】　吉良研はそうですね。

【吉良】　うん。濱野（清志）先生のところだったんですよね、最初はね。

【松下】　はい。

【吉良】　うん。小田さんは……。

【小田(真二)】　私、先生の授業受けたかなって感じですかね。どちらかというと、箱崎……。

【吉良】　船津先生は、学位論文の、僕、副査とかしているよね。

【舩津(文香)】　私は、修士で吉良先生の授業を受けたのはよく覚えています。

【高松】　吉良先生の授業って、どんな授業だったの。

【吉良】　何をしたんだろう。

【舩津】　抄読をしていました。

【吉良】　抄読？　へえ。

【舩津】　なぜ秘密を守るのが難しいのか、何故それが心理士の仕事なのか。守秘の問題。それを、本を読みながら先生がお話しされたのをすごく覚えていて、ずっと覚えていて、私が講義でも話したりするぐらい印象的で、すごく腹に落ちたお話でした。

［註　吉良著『カウンセリング実践の土台づくり』（岩崎学術出版社）の pp.13-15、

「訓練によって守秘を身につけることの意味」に関連した記述がある。]

【高松】　福盛先生とは、どこでどうつながっているのだっけ。

【福盛】　僕は、「フォーカシングセミナー」でした。

【吉良】　フォーカシングだよね。

【福盛(英明)】　はい。フォーカシングセミナーが大きいかな。宿泊型で、２泊３日で、スタッフで出たときに。

【吉良】　うん。長く一緒にやっていたけど、実は福盛先生が院生のときのことは知らないのよ。

【福盛】　そうですね。私も。

【吉良】　ほとんど全然知らないのよ。僕が沖縄に行っているときに森川（友子）さんとか彼とかが、ちょうど院生だったんじゃないかな。

【福盛】　そうですね。

【吉良】　だから、ちょうど入れ違いなのよ。

【高松】　元は、フォーカシングつながり？

【福盛】　そうですね。

【高松】　その後、「健康科学センター」かな。福盛先生はそのときは、もう既に健康科学センターに勤めていて？

【福盛】　いや、僕、学部生の頃からフォーカシングセミナーに行っていたから。

【吉良】　うん。でしょうね。で、僕は沖縄に行く前からよ、セミナーに行っていたのは。

【福盛】　そうですね。だから、そこの間を存じ上げていて。

【吉良】　いろいろ、ご一緒しましたよ。恐山も一緒に行ったよ。

【福盛】　そうそうそう。恐山に。

【高松】　何ですか、恐山って。(笑)

【吉良】　フィールドワークでね。

【福盛】　科研の。

【高松】　あ、あの宗教、ユタとか、あのつながりですか。

【吉良】　そうそうそう。うん。科研で費用があったときにね。

【福盛】　どうもありがとうございました。連れて行っていただいて。

【吉良】　遠征して、面白かったね。

【福盛】　面白かったですね。

【高松】　そこで話を聞いてきたんですか、あの、何て言うんですか……。

【吉良】　イタコのおばあさんね。目の悪いおばあさんだからね、横に世話をしてくれる人がいて、おにぎりとかをこうやってこう食べさせて。

【福盛】　近くまでこう行って、何を言っているか全く分からん、津軽弁みたいな感じで。

【高松】　分からんでしょうね。

【吉良】　分からん、分からん。

【吉良】　高松先生とはね、最近思い出したのは、僕が結婚をするときに引っ越しするのを高松さんが手伝ってくれたのよ。

【高松】　へえ。そういうの全然覚えてない。

【吉良】　覚えてない？　ああ、そう。

【高松】　ああ、そうか。吉良先生はすぐ横に、いつも近くにいた感じで。

【吉良】　いたよね。

【高松】　ただ、六本松の頃は、やや遠い。

【吉良】　うんうん。そうね。

【高松】　私は留学生センターにいたし。六本松に行くと、時々顔を出しては、「吉良先生、元気？」とか言って、話をしていた感じですね。なので、これ（本書第一部）を読ませていただいてね、「あ、そうだったな」とか、いろいろ考えながら。フォーカシングのことや、最初はケースがなかなかうまく行かなかった話もあって、「え、そうだったんだ」とかね。

【吉良】　ありがとうございます。

【高松】　さて、取りあえず吉良先生は来年３月までということなので、今、どんな感じかなとか、何か我々に、あるいは若手に何か言いたいことがあるかなとか、何でもいいんですけど、口火切りでお願いします。

（2）九大における30年

【吉良】　はい。あんまりいい話が浮かばないけれども、僕は30年間九大に、六本松キャンパスに勤めてからちょうど30年なんですよ。1990年かな。今、もう僕は65でしょう。ということは、そのうちの30年だから半分近いわけですよ。信じられんという感じで、４割ぐらいが九大でずっと仕事をしてきたという感じだったんですよね。そんで、もう心境としては、くたびれた（笑）。

【高松】　あ、そうですか。

【吉良】　うん。もう、くたびれた。

【高松】　皆さん、口挟んでくださいね。傾聴モードにならないように。「何ですか」とか聞いてください（笑）。どうぞ、続けてください。

【吉良】　再就職する先生たちも多いでしょう。もう僕はとてもとても。またこれから、新しい職場へ行って、もう一度現職でやれと言われても、とてもできないという感じがするんですよ。今のところね。今から先、どんな心境になるか分からないけれど、今のところ、そんな感じなんですよ。

そうするとね、研究費が出ないですよね。「出張の飛行機代も出ないのか」とも思ったんだけど、そのことと、この疲れ感のどっちを重視するかといったら、もう無理というのがあって、当面は再就職はやめておこうと思っているんですよね。

何に疲れたかというとね、臨床や研究のほうは疲れてないんですよ。そんな疲れた感じはしないし、むしろ楽しかったんだけど、組織替えとかで疲れた。いつも改組で、30年間ずっとそれなんですよね。

僕は最初、教養部だったんだけど、着任の挨拶で教養部長のところに行ったときに、最初に言われたのは、「教養部はもうなくなります」と。もう全国的にね、教養部制度が廃止になる、ちょうどその時期で、大学改革のスタートのときのね。

だから、予定どおり３年で廃止になったんだけど、それから「健康科学センター」に行って、「アドミッションセンター」に行って、「高等教育総合開発研究センター」とか、そういうのがあって、今度は「基幹教育院」になってというような感じなんですよね。

そのたびに書類を作ったり、そんなのがくたびれましたね。で、うまくいったり、いかなかったりだけど、福盛先生も一緒にね。「キャンパスライフ・健康支援センター」ができるときも僕と福盛さんで書類作りを、どれだけやったかね。

【福盛】　何かどろどろしている話が多かったから。

【吉良】　多かったからね。

【福盛】　何かもう、何ともでしたね。

【吉良】　そんな話ってね、もうむちゃくちゃ消耗するのよ。それが30年間、ずっとそんな感じだったから。

(3) なぜ学生相談をすることになったのか (全員)

【吉良】　学生相談も面白かったけど、研究のほうも、僕は割と好きな人だったから。今も好きですけどね。そういった意味では、(本書第1部で) こうやって流れとして振り返るのも面白かったですね、今回ね。

【高松】　そうですね。あまり組織の話をしてもね、ちょっと暗い気分になるから、確かに (笑)。それは別としても、こんな形で楽しかったということなんですね。

どうぞ、どんな形でも、何かお聞きになりたいことがあれば、聞いてみて。あるいは吉良先生がしゃべりたくなれば、しゃべっていただいて。

【吉良】　そうね。あ、それでね、思うのはね、学生相談の仕事って、人によっては移っていく人もいるんですよ。学生相談を長くやるんじゃなくて、研究職のほうに移っていく人も。そっちのほうがはるかに多いかな。学生相談をこうやってずっと長く、定年退職までやるというのは、全国的に見れば割と珍しいほうかな。学生相談の学会で一緒にやってきた人たちは、そういう、長くやっている、学生相談でずっとやっていこうというタイプの人かな。そこは人によるよね。若い頃に実践経験をたくさんして、その後それを蓄積して研究職としてやっていく人も多いし、どっちがどっちとも言えないけどね。

僕は学生相談にエネルギーを使うのを大事にしたかったというか、そういうタイプだったので。

【高松】　吉良先生は、もともと学生相談をやりたかったんですか。

【吉良】　学生相談というか、やっぱり個別の面接が好きだったんだね。好きだったと言うか、それをずっとしたかったわけですね。好きかどうかはともかく、ずっとそれをしたかったので、そういう場として。

九大の場合、研究職として処遇をしてくれるので、学生相談の臨床実践が主で、なおかつ研究も大事にしてくれるポストだったので、それで居着いてしまったというところでしょうね。

だから、そこは本当、人によってで、どれがいいとか、どっちが意味があるとかいうのは、よく分からんね。

【高松】　精神科には未練はなかったんですか。琉球大学に行って、精神科で勤務されていたんですよね。

【吉良】　いや、ないことはなかったですけどね。入院患者さんとの面接も好きだったけどね。ちらっと話もありましたよ。ひょっとしたら、沖縄の北部の病院で一生を送ったかもしれない。それよりたまたま九大のほうが先に話があったからこうなったけど、そうなったかもしれんね。そういうタイプの人もいますよね。病院臨床から引っこ抜かれて大学に勤めたけれども早く病院臨床に戻りたい、というような人もいるしね。

【松下】　いいですか。

【高松】　どうぞどうぞ。自由にどうぞ。

【松下】　もし病院にずっと先生がいたら、今とどう違ったのかなと思って。

【吉良】　そうだな。

【松下】　ずっと病院にいても、研究とか、本を書いたりとか、そういうことはしたかったですか。

【吉良】　それはやっぱりしたかったかもしれませんね。フォーカシングもしたかったから。沖縄にいるときも、フォーカシングセミナーには村山（正治）先生が呼んで下さって、そのときも年に１回は参加していたんですよ。だから、もしそういうことになったとしても、フィールドが違うだけで同じようなことをやっていたんじゃないかな。分からんけどね。もちろん医療機関で働きながらそういうのをするのは大変だけれども、したかったかもしれませんね。

【高松】　松下先生は、何で学生相談に来たの？

【松下】　学生相談には興味はありましたけど、なかなかすぐに常勤では働けないし。最初の常勤の仕事は、心療内科で働いていたのですが、ちょうどそのとき３年雇用の時代だったんですよ。それで、２年ちょっと経ったときに、「もし仕事なくなったら困る」と思って、別の仕事を探し出したんですよね。それから、健康科学センターにたまたま行けた感じです。

【高松】　心療内科って、九大の？

【松下】　そうですね。もしそこで任期がなかったら、ずっとそこにいたかもしれない。学生相談はもともとやりたかったし、大学という場は好きですけどね、すごく。

【吉良】　３年任期だったの？

【松下】　そうです、はい。吉良先生は大学が好きだったんですか。

【吉良】　うん、まあそうでしょうね。大学で割といい思いをしてきたというか、やっぱり指導教員にはいつも恵まれとったしね。とても自由だったし、好きなことをさせていただいたし。僕は最初文学部だったんだけど、文学部のときもそうだし、大学院に来てからも、前田（重治）先生が指導教員だったんだけど、村山先生のところに勉強に行っても嫌な顔一つなかったな。やっぱり大学は好きなことをいつでもできるというか、自分の思いだけでやれることがよかったな。だから、そういった意味で好きでしたね。

【小田】　前田研は、どうして選ばれたんですか。

【吉良】　前田先生のところを選んだのは、やっぱり精神分析をしたかったんですよね。あの頃ね、一般の人向けに教育心理の先生方が研修会みたいなのをしていたんですよ。前田先生とか村山先生がレクチャーしたりとかいうのを毎年やっていたんですよ。それに成瀬（悟策）先生も来られていたね。何か最初、成瀬先生に一生懸命自分のことをしゃべって、それが一番最初だったね。だけど、自分は精神分析をしたかったから前田先生のところに行くことにした。

そうそう、前田先生が当時、教育学部長だったんだけど、そこにアポイントを取って話しに行ったら、「じゃあ勉強してください」と言われてね、次にお会いするときに本をこんなどさっと積まれて、「はい、読んでください」って。そこからだったね。

【小田】　先生、前田研なんだと思って、私、びっくりしたんですけど。

【高松】　そうなんだよね。分析とフォーカシングがどう繋がっているのか、それも後でお聞きしたいところだけど。

【小田】　聞きたいとこですね。

【高松】　でも今は学生相談が話題だから。何で学生相談に来たかって、ちょっと面白いエピソードだなと思いながら。

【吉良】　ちょっとほかの人も言ってよ。何で学生相談か。

【高松】　そうそう。ぜひ何でとかね、少し言ってもらうと楽しいかな。なぜ他じゃなくて、学生相談を選んじゃったんだろうとかね。たまたまだったかもしれないし。どうですか、舩津先生。

【舩津】　さっき松下先生が聞かれたような、私、先生に副査をお願いした背景が、多分先生、ロールシャッハで書かれていたものがあったりとかして。

【高松】　え、そうなんですか。唐突。

【舩津】　だから、医療領域をされていた先生というイメージというか、先生の御経歴があったのと、あとはKHT（吉良Kira、濱野Hamano、高橋Takahashi、研究室合同研究会）でお世話になっていたから。

【吉良】　はいはい。

【松下】　懐かしい。

【吉良】　懐かしいね。

【高松】　何、それ？

【舩津】　吉良先生と濱野先生と高橋（靖恵）先生が合同研究会をして、旅行に行ったりしましたよね。高橋先生が来られて何年か目で、学生の人数も多分少なかったのでかな。

【吉良】　行ったね。

【舩津】　湯布院とか行ったり。

【吉良】　行ったね。

【高松】　え、そうなんだ。え、みんなで？

【舩津】　ええ。

【吉良】　湯布院行ったり、別府温泉にも行ったな。地獄めぐりとか。

【舩津】　月１とかですかね。旅行泊で研究会をして、それもあって、多分副査をお願いしたんだと思うんですけど。

【吉良】　ああ、そうなんですね。

【舩津】　私も同じで、前田先生のところにいらっしゃったのとか、先生から御覧になって、精神分析というのがどんなふうに見えていたのかなとか、やっぱり医療じゃなくて学生相談というのが、どんな契機だったのかなというのはお尋ねしたいんですけど。

【高松】　どこでも、何でも、思いついたところで。

【吉良】　いや、精神分析の理論は面白いし、精神分析をしている人たちが、本当にケース一つ一つにエネルギーをとてもたくさん使って、そこで起こっていることを考えようとしているというかな、それはとても好きだったし、尊敬もするしね。ただね、精神分析をしている人たちの隅から隅まで目を凝らして言語化しようとするような独特の文化が、僕には無理だった。

でね、前田先生は生粋の精神分析の先生だけれども、広く心理臨床のいろんなものを大事にされるように僕は思っていて。なので、あんまり僕にとっては、自分が精神分析から離れて別のところに行っているとか、それがすごいコンフリクトになったとかいう感じでもないんですよ。自分の流れの中ではね。

だけど、指導教員が精神分析の先生なのに、フォーカシングをしているとかね、そういうのは異様な感じでしょうね。自分の中ではそんなに違和感はないんですけどね。ただ、人に聞かれたときは困るね。「何ですか、それは」みたいに思われそう。僕の中ではそんなに非連続な感じではないんですけどね。前田先生のされていた「症例研」という事例検討会にはずっと出席して指導を受けていたし。

【舩津】　一番、先生が書かれたもの（本書第１部）を拝見して思ったのが、先生がセラピストフォーカシングを進めていかれて、「クライアントとの間でこういうことが起きているんじゃないか」というのを書かれた文章が、私はここに来る前に医療でやっていて、精神分析を学んでいた時に教わったことと全く同じことが先生の言葉で書かれているみたいなのがあったので。

【吉良】　うん。自分流の言葉なわけやね、それはね。こっちのね。

【船津】　先生の言葉で書かれているのが、すごく感銘を受けた部分がありました。

【吉良】　ああ、本当。

【吉良】　他の方は学生相談とかをしているのは、どういうところから？

【高松】　小田先生は何だっけ。

【小田】　私は「ハラスメント相談室」から大学ですね。それまでは、本当、ごちゃっとした臨床をしていました。

【高松】　ごちゃっとした臨床（笑）。

【小田】　非常勤の仕事を掛け持ちで、何をしていましたかね。いろいろ、福祉領域だと、児童養護施設の心理士をしていました。

【吉良】　そうだっけ。

【小田】　はい。結構長いです。四、五年していましたかね。一番最初にやったのは病院で、総合病院の中の精神科で働いていたんですけど、後期高齢者、認知症みたいな、それで昔統合失調症があってみたいな方たちの回想法をしたりしていましたね。それが一番最初のペイをもらう仕事でした。そしてクリニックにも勤めるようになって、医療福祉で、あとはスクールカウンセラーですね。それも長かったですかね。スクールカウンセラーはなかなか稼げたので、やっていましたね。

そうしていたら、福留（留美）先生から「九大のハラスメント相談室というところで応募が出ているので応募しなさい」ってお誘いがあって。それまでに結構いろいろと断りを入れていて、ちょっと申し訳なかった気持ちもあったので。

【吉良】　断れなくなったの？（笑）

【小田】　はい。渋々受けたというのが最初の最初ですね。でも、もう本当蓋を開けてみたら、明らかにそれが賢明な判断だったというのが後から分かってきて。だんだん領域が絞られたわけですね、教育のほうへ。

そこからは、どう考えても、キャリア的にもいいし、研究費もつくし。結婚してましたし。よくあの状態で、非常勤の掛け持ちで家庭を持っていたと思うんですけど。(笑) 今としてはちょっと戻れないぐらいの結構危うい中で生活していたんだなって。とはいえ、そこでいろいろ経験したことがあったのは事実あるので、連続線上ではあるんですけど。という感じで、学生相談に入ってきました。

【高松】　どう？　いろいろあって、学生相談に来て、今、やっているわけだけど。

【小田】　吉良先生がどこかで「町医者」って表現されていましたけど、そんなイメージです。何かよろず相談みたいな。スクールカウンセラーにやっぱり近くて、教育領域にはいろんな人が、それこそいろんな層の人がいて、地域によっては、本当、貧困家庭がいっぱいあるような、いろんな層を見てきて、いろんな支援の在り方もあるし、福祉とつなげるような支援とかも結構重要なケースもあって、そういう意味では大学の場合それが学校の中に一つ完結していて、もちろん外にリファーする場合もありますけど、だからいろんな領域を知っていたからこそ分かるところもあるかなと思います。仕事のしやすさみたいなのもあるかなという感じですね。自分のポストが安定したというのもあるし。そんな印象です。

【高松】　よろず相談、どうですか、面白いですか。

【小田】　面白いですかね。

【高松】　九大生じゃないですか。だからある意味、レベル少し高い。

【小田】　そうですね、高い。うん。

【高松】　似た層になりますよね。

【小田】　そうですね。ほとんど大多数は、結構、層としてはあるんですけど、結構いろんな学生も紛れていたりして、この人たちは適応大変だろうなっていう人たちにも出会ったりするので、経験とかがあるとやりやすいし、そういう意味では面白いです。何かそんな感じですね。ハラスメントとか何か厄介な世界も見ちゃって、それまで本当私もいい師匠に出会えたし、いい仲間しか出会えてなかったので、こんな世界があるのかって、大学の別の面が見えてしまったというのはあって、だからそういうのもありますね。経験ですね。

【高松】　私も何かちょっとしゃべりたくなったんで。

私は精神科のカウンセラーを結構一生懸命やっていたんですよ、10年間ぐらい。ドクターの頃からやっていたので、あっちも面白いなと実は思っていたんですよね。多いときでは週に３回ぐらい働いていた時期があって、結構一生懸命やっていたんですけど。でもだんだんくたびれてきて、「やれること少ないな、精神科のカウンセラーは」って、ちょっと思ったんですよ。320床ぐらいの中規模の古い病院に勤めていたんですけど、何か面接よりは、地域に出かけて行ったり、家の中に入り込みたいなとか、そういうのを思っていたんですけど、非常勤なのでなかなかできずにいた、というようなことがあったので、困ったなと思って。だんだん辞めたいなと思っていたというのもあったし。

そうですね、その間に留学生センターが開設されて、「行ってみないか」と村山先生に言われて、「君に合ってるよ」なんて言われて、「そうですか」っていって行ってみたら、結構いろんな変わった世界だったので。（笑）

まるでよく分からない。いろんな国の人がたくさん来ていて、当時は350人ぐらいだったんですけどね、留学生数が。なので、顔が割とよく分かった感じがしました。350人全部は把握できないけど、100人ぐらい把握していると何となく分かる感じもして、みんな大変そうだなというのがありました。

そうやってやっていたので、学生相談を辞めようという気がなかったですね。やっぱりこれは面白かったと思います。

【吉良】　何年ぐらいになるの？　留学生センター。

【高松】　31年か。そうですね、迷いは少しありましたが、何とかこの領域で頑張ろうというのはずっとありましたね。日本の中でやっている人がほとんどいなかったので、面白いやっていう感じですかね。そしたら、こんなになっちゃいました。

【吉良】　留学生事情もどんどん変わったでしょう？

【高松】　どんどん変わりましたね。学生相談の中の位置づけも大分違うし、何せ350人から2,500人まで来ているわけですから、全然違いますよね、規模が違うし。だけど、このキャンパスライフ・健康支援センターという組織に来られたのはよかったなと思います。一宮（厚）先生に引っ張ってもらったというよりは、健康診断に行ったら、一宮先生が私の前にいたんですよ。並んでいたときに（笑）。「今度、こういう組織ができるんだよ、高松先生も来ませんか？　来週、会議があるから、そこに顔を出しませんか」って言われたのが最初なんですよ。あそこで会わなかったら、もしかすると離れていたかもしれない。変なご縁ですけど、そこからつながって、今に至りました。

私は、心理の仲間がいなかったので、本当に一人でずっと二十数年やってきたので、そういう意味では、ここで仲間と一緒に仕事をして、仲間の存在は大事だなと思いました。

【吉良】　うん、大きいね。

【高松】　それを支える吉良先生とかね、福盛先生もそうですけど、組織をやっている人は大変だろうな。私、幸いにもあんまり組織に関わらずで。

【吉良】　そうよ。あんまり関わってないでしょ（笑）。

【高松】　これはラッキーとばかりに、そうなんですよ。そこは疲れてないんですよ、私は。

【吉良】　もう関わるもんじゃないな。

【高松】　そっちは疲れた。組織のほうは疲れている。申し訳ない（笑）。

というので、学生相談はどんな相談でも引き受けるじゃないですか。何でもやるし、何が来ても対応するというのは、結構面白いなと。犯罪が起これば、そっち行くしね。何でもできる。何しても別にどこからも文句が来ないという楽しさがあるので。

福盛先生、どんな？　学生相談。

【福盛】　僕はあんまりキャリアを選んだ感じがずっとないんですよね。あの時代は、そんなことも多かったような気はするけれど、その時にあった仕事に就こうみたいなところがあったし、先輩もきっとそうだったんじゃないかなと思うから。村山先生も、仕事があるだけよいみたいなところで、修士に入った時から「入院だよ、入院だよ、はははɔって。院に行くから「入院」ってよく言っていたんですけど。それで「もう仕事はあると思わないで。紹介もしないよ」みたいな感じだったから。

【高松】「仕事ないからね」って、いつも言われていました。

【福盛】いつも言われていましたね。だから、就職先は「あれば行くんだ」というところが刷り込まれていて、縁があったところに行こうというところで決まりました。

でももう一方では、僕はもともと、本当は子供の面接というか、プレイセラピーとかをやりたいし、好きだなあと思っていました。あと、デイケアとかがすごく好きでした。当時は、「何とか一筋」っていうのにすごく憧れていたんだけど、今から考えると自分は、何々一筋で生きるタイプの人じゃ全然ないんだっていうことがよく分かってきて。どうも自分は一筋になったら行き詰まるというのが分かってたところもあるんですよね。だから病院一筋とか、プレイセラピー一筋とかいうのも多分駄目になっていって、煮詰まっていたんじゃないかなって。そういう意味で、僕は学生相談との出会いというのはすごく大きかったです。

【吉良】いろいろね。

【福盛】いっぱい筋があって、こっちが駄目で煮詰まりそうだったら、こっち側でこう生きて、こっちが煮詰まりそうだったら、こっち側で生きてみたいなことができるといいなと。学生相談は、一筋のように見えて、やることが多様なので煮詰まりが少なくて、いつもどこかのプロセスを流すことができるような感じがあって、それが僕にとってはいいフィールドだなと思っています。ほかにあんまりないんじゃないかな、心理臨床で複数の筋を生きられるところって。学生相談って力を入れて行くところを比較的自由に選んでいいじゃないですか。ちょっと研究に力入れようかなとか、ちょっと何かに力入れようかなみたいなことでできるのが、僕にとってはすごく居心地がいい感じはありますね。

【吉良】そうだよね。医療機関とかに勤めたら、もう決められてしまうのよ。「あなたは検査する人」「あなたはセラピーする人」「あなたはデイケアの人」とかね。

【高松】　しかも、医者に決められちゃうんだよね。

【吉良】　そうそう。

【高松】　何だか不愉快だなって（笑）。

【松下】　学生相談では自由にいろいろできる良さっていうのはありますね。

【吉良】　だから自分の得意、不得意とかね、大学側が必要としているものとか、その辺のすり合わせでね、自分の転機になれるような何かね、見つけていくチャンスがかなりあるよね。

【高松】　そういう面白さはありますね。

【福盛】　そうですね。

【高松】　ただ、できないこともあるよね。ロールシャッハとか。できる？

【舩津】　そうですね。やりたいようにはできないですよね（笑）。

【高松】　まあ、そうね。

【小田】　研究としてはできますかね？

【福盛】　うん、そうそう。研究としてはね。

【舩津】　研究としてやろうと思うと、すごくたくさん取らなきゃいけないけど、それができないです。だから、臨床の中で出てくるロールシャッハのニーズがある学生で研究はできないです。

【福盛】　そうか。

【吉良】　かつて、そういう時間のかかる心理検査の、そういう大量のデータを集めての研究というのは鑑別所の先生とかだったんですよ。

【舩津】　そうですね。やっぱ必然性がないと、ロールシャッハみたいなのは取れないので。

【高松】　何かほかにできないことってあります？　学生相談ではちょっとできないなと。

【舩津】　がっつり構造化された面接とかはできない。

【高松】　ちょっと話して。どんなイメージ？　がっつり構造化された面接っていうのは。

【舩津】　毎週何時から50分の面接で、面接でしか会わないみたいな。コンサルテーションとかアドミニストレーションは違う人に任せて、私は心理面接だけに、この50分だけであなたと関わりますみたいなのはできない。何でもやらないといけない。

【高松】　それって、どこでできるんですか。病院とか？

【船津】　病院。

【高松】　病院か。いわゆる分析的な面接。

【船津】　的なとか、構造化されたというか。

【吉良】　でもね、病院とかでも、そういう構造化して、毎週50分とか、あるいは週に何回セラピーとかは、医者はそれ用の時間にやっているよね。ふだんの診療の時間じゃ無理だから、それとは別の時間にやっていると思うね。

【船津】　そうですね。

【吉良】　なかなか医療機関でも難しいのかもしれんね。

【船津】　よっぽどそっちに傾倒した病院、そのドクターがいっぱいいる病院とかで、心理士いっぱい準備してとかいうところでしか、多分してないので。

【高松】　やってみたかったですか、そういうの。

【船津】　週４とかの分析は、私はちょっとそこまではできないなと思って、多分そっちに行かなかったのもあるんですけど。もっと構造化してやったら、もっと深められるのになと思うケースは結構あります。学生相談の枠組みだとここまでしかできない。本当にサイコセラピーをやるんだったら、病院でしてもらったほうがいいなっていう学生は、私が会った学生では結構いて、そこはちょっともどかしいところではあります。

【高松】　そういう感じ、どうですか。もっとがっちりやりたいとかあります？　私はあんまりないかな。留学生で（笑）。軽く浅く、程よくみたいなのもいいかな。

【吉良】　僕は個人面接の指向が強いけれども、あんまりそっちの方向には、行かなかったな。深いほうを扱うのと、現実的な表面的なものを扱うのとは、僕は何か両方のバランスがないと、相手の人への影響にとってあんまりいいことがなさそうな気がする人なので。そこはもう本当個人差だけどね。何が必要なケースかという判断によるけど。

【船津】　そうですね。

【吉良】　僕はどっちかというと、そんな感じやったね。そういった意味では、あんまり精神分析指向ではなかったでしょうね、きっとね。

【舩津】　さっきの（p. 162末尾で言及した箇所）を見つけました。フォーカシング（本書 p. 10～11）のところで先生が書かれている、クライアントが悩み、混乱した状態で来たときに、セラピストとクライアントの間で言葉をつくっていくプロセスみたいなところが、何か学んできたことと同じだなというのを思いました。混沌の中から言葉をつくっていく感じとか。

【吉良】　合作でね、共同して。

【舩津】　はい。共同作業でというところが。

【吉良】　そうね。だから、こういったところはフォーカシング云々の文脈でやっているんだけど、大分、精神分析の雰囲気が入っているような気はする。

（休　憩）

【高松】　前半、結構学生相談の雑多な感じだとか、いろんなことに対応しているし、我々のオリエンテーションもいろいろだし、様々なことができるし、ある意味不満もあると。でも、できないこともあるという感じなのが、結構特徴的なのかなというのが少し分かってきた感じですね。それぞれの出自というか、その辺も違っていますし。「オリエンテーションは何？」って聞いたら、「よく分からない」みたいなことを言うのもあるし。私は最近すっかりナラティブで、やっぱり言語化――これは多分、異文化をやってきたからだと思うんですけど、言葉にならないものを、どう言葉にしていくかというのにすごく関心があって。それぞれの得意領域でこの学生相談もやっていける部分があるのかなというふうに思いました。

後半ですので、どうぞ聞きたいことを。

【小田】　いいですか。

【高松】　うん。小田先生も、ぜひあったらですし、いろんな各論みたいなとこで、どんなことでも。せっかくならエッジの話。

(4)「エッジを生きる」

〔吉良が還暦の折に作成して身近な人たちに配った私家本『エッジを生きる』(2015年発行)を小田が持参し、やりとりとなった。〕

【小田】　主体アルファと主体ベータの話が難しかった。

【高松】　これをぜひ聞きたいと。

【小田】　図はなくてですね、全部言葉で説明をされているんですけど。

【吉良】　あのね、結界――へりっていうことでしょう。境界線があるということなんだけれども、結界っていう言葉はね、2通り意味があるんですよ。外のものが入ってこないように結界を張って中を守るという意味の結界。つまり、境界線の内側に主体があるわけね。内側に主体があって、ここを守っとる。外から変なものが入ってこないようにね。でも一方では、外側のほうに主体があるという発想もあるんですよ。外側に主体があって、妙なやつを内側に閉じ込めるわけ。そういう意味の結界もあるんですよ。だから、内側に主体があるときの結界と、外側に主体があるときの結界と2通りあるんです。

それこそ恐山では結界を感じましたね。恐山に入っていくときに、車で僕らは行ったんだけど、山を下って行くんですよ。もともと火山だったんやね。火山だったから、外側のへりのところが高くなって、真ん中がへこみになっているんですよ。そこに宇曽利湖っていう湖があるんよ。周りに山があって、その宇曽利湖っていうところが溶岩がいっぱい出とって、硫黄がすごい。そういったところなんだけど、へりから下って行くところに鳥居があってね、結界を張っているの。そこは神聖なところとして区別されとるわけで、そこへ入っていくとき、どきどきするんだよね。非常におっかない気分になりながら入っていくんですけどね。

2つの主体っていうのは、そういう意味で書いてる。ほんで、心理療法だと、内側に主体があるときは、内側が自分に見える意識の範囲ね。意識外の部分が外側にあって、内側の主体が結界のちょっと外のほうに意識を広げていくっていう発想もある。逆に、外側にある主体が外から中に入ろうとしているけど、それがこの境界線でとどめられている、というようなこともあって。

言いたかったのは、こっちに主体があるような、内側が主語になった体験もあるし、外側が主語になった体験もあるし、面接の中のやり取りっていうのは、両方いろいろ行ったり来たりするのよ。ふだんから意識している側の私がしゃべっているときもあれば、ふだんは意識してない側が主語になったものも入ってくる。それがこう行ったり来たりしているうちに、境界線が頑なだったのが、だんだん薄らいできて、ぐにゃぐにゃになってきて、内と外の区別がよく分からんようになるのが、もうちょっとベターな状態。そういう発想で、僕は思いよったわけ。多少は伝わるんかな。

【小田】　いえいえ、もう十分伝わりました。

【吉良】　何かそういったことを、このときは言いたかったような気がする。

【小田】　二人、人がいたら、それこそお互いそのエッジが重なるというか、そういうこともあり得るんですか。

【吉良】　お互いの人がいたら？

【小田】　もう一人いる場合もありますよね。セラピー場面で。

【吉良】　このセラピストというもう一人の人がいて、そっちの主語があるということよね。

【小田】　はい。

【吉良】　うん。その主語っていうのが、こっちの主語になったりするときもあるかもしれないね。クライエントのほうがこっちだったとしたら、それとは違うもう一つの主語というのは、クライエントのほうからしたら外から入ってくるような、そんな感じかもしれないね。あるいは、今の小田さんが言われたみたいに、もう一つの主語があって、こんな感じで、ここがこうクロスしたりとかね、こう重なったりとか、重ならなかったりとか、そういったことがあるかもしれないね。

【小田】　なるほど。

【吉良】　というようなことだったんじゃないのかな。

そうそう、だからこの境い目のところ。くっきりと際立つ線であった境界が、次第にぼやけてきて、二重三重にこの線が重なり合うみたいになってくるのよ。結界を強引な力で外すとかいうことではなくて、これはやり取りをしているうちに、何かよく分からんようになってくるわけよ、この線が。そういうのを僕は狙っているみたいだって言いたかったんですよ。

【小田】　なるほど。私は大分理解が進みました。ありがとうございます。

【高松】　さっき舩津先生が言った合作の話と似た話ですか。

【小田】　うん。ここを言葉にしているみたいな。

【吉良】　ちょっと違う。

【小田】　違う。

【吉良】　うん。二つの主体があったら、その二つの主体の中でこういうぐちゃぐちゃがあるわけだけれども、そういう中で、この人の中から新しい言葉が生まれてくるのを一緒につくっていくみたいなのかな。

だから、主体としてセラピストが動いているときと、クライエントの主体を膨らませていくときのセラピストの役割とは、ちょっと違うんじゃないかな。

【福盛】　僕、今ので連想が一つあるんですけれど。何か、蓋をする面接と蓋を開ける面接、蓋を開けるか蓋を閉めておくかみたいなっていう表現がよくされていたじゃないですか。あれ、すごく二分法的だなってよく思って。かつ、蓋を開けるのは、クライエントさんが自らが開けたりっていうことはあまりなくて、セラピストが開けるか閉めるかみたいなことを選択してたんだなと思って。

今の話を聞くと、そうじゃなくて、やっぱり主体はクライエントさんにあって、クライエントさんが開けるか閉めるかじゃなくて、そのエッジが広がっていったりとか、逆に外から見て、自分の中のどこか触れていないもののほうのエッジのほうに移動して「あ、ここにあるのか」みたいなことが分かったりとか、セラピストはそこをいろいろ行き来することを手伝うことが大事だと思いました。

そのためには、エッジっていう概念を使うと、見えそうで見えないようなっていうところを、どう二人で生き抜いていくかっていうイメージが湧きます。開けたり閉めたりするというよりは、何か、一緒に問題を覗いて見たり、いろいろそういうこととも つながってくると思て、聞いてみました。

【吉良】　開けたり閉めたりと言うときは、見えているものと見えてないものをはっきり区分けしているわけですよね。見えてなかったものを見るようにするのが蓋を開けることだし、見えなくするのが蓋を閉じるというわけだけれども、ジェンドリン風の発想で言うと、見えると見えないの境い目の辺。懐中電灯を暗闇で照らしとったら、光が闇に消えるぐらいのところ。何かうっすらあるようなないような、みたいな、そんな感じのところとかね。だから、見えるのと見えないの境い目みたいなところというかな。

だから、そういう発想でいくと、蓋をするとか蓋をとるとかっていうものじゃなくなってしまうよね。

【福盛】　すごく乱暴な感じに映りません？　蓋を開ける、閉めるっていう発想自体が。

【吉良】　そうやね、うん。

何かクライエントの中でその辺のところが少し見えるような感じになる瞬間もあれば、またすっと見えなくなるような瞬間もあったり、行ったり来たりするんだと思いますよね。

僕は、それを一緒に体験しとるような感じかな。カウンセラーとしての僕は、見えたり見えなかったりというのを一緒に体験しているようなところにいたいわけですよ。そういうスタンスでやっているんだけれども、やっぱり時々対象にさせられる。つまり、そのクライエントの流れの中でのストーリーが起こるわけで、そのストーリーの登場人物の一人にさせられるというかね、それは時々起こってくるよね。あんまり対象にはなりたくないんだけど、なるときは仕方がないので。何かそんな感じですかね。

【高松】　吉良先生、面接中の位置っていうのは、一番いいのはそういう曖昧なって言うと変ですけど、対象化もされず、一緒にいながら、この辺を見ている、そういう感じのときにいい感じだし、この人も展開するというか。

【吉良】　うん。自分が関わるときの基本的なスタンスは、そういうような姿勢でクライエントと一緒にいようとはしますね。それをクライエントのほうがどういうふうに意味づけるかは、また人によっていろいろ、場面によって違ってくるけど、こっちとしてはそういうつもりかな。

だからこの中に書いたのは、フォーカシングというのをクライエント一人の中の心の作業ということではなくて、共同作業の中で、何かよくはっきり分からんような、見えないような、見えにくいような形だったものが、一緒に見ていくことで、何か言葉になって見えてくるっていうかね。先ほど先生が言われた、あの部分っていうかね。その位置にいるときが一番自分としてはやりやすいというか、そんな気がしていますね。

【高松】　僕、聞きたかったのは、そのときは、吉良先生も自分のフォーカシング的な態度で自分の状況を見ているというか、感じているという感じになるんですか。

【吉良】　うん、そうね。うん。そんな感じですね。

【高松】　対象化されるというのは、つまり転移とか逆転移とか、そんな話に近くなる話ですか。何かを持ち込まれて、そこに関係の、過去のものも入ってくるとか。

【吉良】　対象になるというときの現象のことを転移とか逆転移というふうに呼ぶんだろうなというふうには思いますね。こっちが何かクライアントにとっての対象になっているときですよね。

そうか。その区別がね――このセラピスト・フォーカシングの話をしていると、いつも「逆転移を扱っているんだね」と言われるのよ。それが僕にはしっくりこないんですよ。セラピストのほうに起こっている感じを、クライエントがフォーカシングをしているとしたら、こちらもフォーカシングをしながら、その中で自分の中で感じているものを扱っていくんだけれどもね。そこのところが、僕の中ではちょっとね、言葉にしにくいところなんですよね。

【高松】　どうぞ、どんなことでも。

【小田】　光の例え、とても分かりやすかったんですけど、一方でクライエントさんって、よく見えるところにしか目が行かないというか、そちらに行きがちかなと思うんですけど、周辺に注意を向けるみたいな工夫というか。カウンセラーとしては、ここを重視してみたいに思っても、クライエントは結構真ん中を見たいので、そのシフトをどうやって助けるんでしょうか。

【吉良】　ああ。これも僕の発想かもしれないんだけれども、クライエントの人が今までの考え方とか生き方に行き詰まって相談に来ているというときは、今まで自分が見ていたもの以外のものが勝手に入ってきているわけよ。そのクライエントさんの中に。それをクライエントのほうがまだよく見えないんだけれども、今まで見えている、収まりがいい、その人なりの意味づけの枠の中では済まなくなっている状態が既に起こっているわけよ。

　だから、クライエントのほうからしたら、見ざるを得んわけですよね。やってきているわけだから。だからそのやってきている、最初は見えないものを見ざるを得んから、妙な形で、ちょっとおっかないみたいにクライエントは感じるかもしれんけれども、そこを見ていくと別の面が見えてくるというかな。だからあんまりこっちのほうから強引に、それこそ蓋を開けて何かを見ないといけないということではないだろうと思うんですけど。

【小田】　準備状態を図りながらだったり、声かけを工夫したりみたいな。

【吉良】　そうね。うん。やっぱりクライアントの話の中にそういう、今までその人が見ていたものとは違う要素みたいなものが言葉になって出てくるので、その部分のほうにこっちが、「大丈夫？」とか言いながら、ちょっとずつ焦点を当てていくみたいな、そんな感じかな。そのときに、出てきたものに焦点を当てるというよりは、その出てきたものに対するクライアントの側の思いのほうに焦点を当てたほうがやりやすいね。

【小田】　どう感じるかとか。

【吉良】　うん。これはちょっとまだ見たくないものだとかね。これはちょっと見るとどきどきするとか。本当なら見たくないけどやむを得ない、とかさ。何かそういう主体の側のそれについての捉え方のほうをやり取りするほうが、うまくいく気がしますね。

【高松】　小田先生ってどんなふうに面接しているの？　今の形で言うと。

【小田】　…難しいですね、どうかな。だから、吉良先生はよく言葉にされているなって思います、本当に。

【福盛】　今の話を聞いていて、面白いなと思っていて。これ、今、図でこう描いて、線じゃないですか。でも、実際の心理臨床ではいろんな体験のありようがあるなと思っていて。

例えば、すごい光を当てる、比喩としての、ハイライトが当たり過ぎていて、そこばっかり、どうしても認知的に脳が勝手に判断して目が向かうような見え方もすることがあるし、光自体がぼわっとしていて、何をやっても光が当たらないような、もう全部闇みたいな気分になるみたいなありようというのはあるだろうし。また、主体として心の中を見る目のほうが弱いとかあと、全部ぼけまくっているとかいうこともあるかも。何かにせ物がありそうとか（笑）。何か雰囲気とかに翻弄されるような、いろんな在り方が説明できるな、ということが連想されて、面白いなと思って。

それから、例えばクライエントさんが心の中の端のほうに注意を向けていたのが、次回来たときに心の真ん中みたいなところに注意が動いていくような、ということもあったり、真ん中のところにハイライトが当たっていたのに、エッジのほうにわーって近づいていっていてあら、前回こんな話しなかったけどというところに光が当たっているみたいな…。時系列的にも固定されているものじゃなくて、動いているんだなと思って聞いていたりとか。何かいろいろ連想を。

【吉良】　僕が喩えとして言ったのは、とても一般論で言っていることで、一人ひとりのクライエントとか、一つひとつのケースの状況を見ると、いろいろあるんでしょうね、きっとね。多種多様でね。だから、クライエントとやり取りする中で、自分はこういうような光の状態になっているんだとかいう話をクライアントとできると、とても生産的ですよね。

【福盛】　何か、メタコミュニケーションって、何かそういうのってすごく大事なのかなって思うし。本当はそれが主のコミュニケーションなのかもしれないですけど、主体と主体が少し話をしている。いろいろあるなと。すみません、感想で。

【高松】　いや、面白いなと思うんですけど。

【福盛】　そうそう、あともう一つ、やっぱりトラウマでは、ワープというか、エッジに行ったら、行き来を上手にしないと、固定していたらあまりよろしくない感じがするじゃないですか。柔軟性というかね、スポットライトとしてライトを当てる柔軟性みたいな、そういうメタレベルのところですごくやり取りってすごく要るんじゃないかなって思いました。

【吉良】　トラウマという場合は、もうあの線が非常に明確なわけですよね。硬いというか、ちょっとそこに触れると、ひりひりするような感じですよね。だから、ちょっと触って、ぱっと逃げるとかね。触らなくても、「ほれっ」とか言ったら「うわあ」みたいな（笑）。

【福盛】　いや、知らない中に、いつの間にかこっちに行ってたり、こっちに行ったり、コントロールできないまま行ってる人もいっぱいいるから。

【吉良】　そうそう。コントロールができないんだよね。

【福盛】　ええ。なかなか大変ですよね。

【高松】　懐中電灯の例えで言うと、留学生のことって、光が当たっていて、ロジックが成り立っている部分と、急に崩れ始めて分からなくなるところの境目が結構あるんですよね。そこまで追っかけて行って、ここからが異文化の領域で、彼の解釈が成り立ってないっていう感じがするんですよ。なので、ここを一緒に考えると、生産的だなと思いますね。「こんなとき先生がこんなことを言ったんですよ」って話をすると、「先生、そんなこと言わんやろう」と思うんですよね。そこの文脈で絶対言わんようなことを言っているということは、彼の解釈がどこかおかしくなっていて、辻褄が合わなくなっている。

なので、そこまで行くと、言語化の限界みたいなところが出てきて、限界まで一緒に行って、その後探索するという感じなんですよね。懐中電灯で言うと、ここのこの闇みたいな、闇に通じる、分かんないところ、ここを見ているなっていう意味で、ナラティブ的なんですよ。留学生のカウンセリング、異文化カウンセリングというのは、恐らく。

なので、感情とかよりもむしろそういう――感情は邪魔になることが多くて、むしろロジックっていうか、つじつまが合わないことが起きているのをどう解釈していくのかみたいなことをやっている気がするんですよね。言葉がすごく大事。何か、領域によってちょっとずつ強調点が違っている気がしますね。

【吉良】　それは感情の問題ではないっていう意味？

【高松】　感情もくっついてくるんですけど、いくら感情を見ても解決できないんですよね。「怒りの元は誤解」みたいな。

【吉良】　認知のほうのずれが先にある？

【高松】　そう解釈したほうが話が簡単だし、いろんな可能性を一緒に考えてみたら、怒りも静まっていくことがある。もちろん、怒りの最中は無理ですけど。怒りの話は聞きますけどね。「そうか、大変だったね」って聞きますけど、でもその後の解釈が大事かなっていつも思っていますね。

でも、あまりじっくり気持ちを聞かないですね。形だけ聞いているだけというか。「はあ、大変ね」って聞きますけど。次のステップのための材料になる……。

【吉良】　へえ、面白い。ちょっと違うね。

【高松】　ちょっと違うんですよね。でも一方で、ちょっと話がそれますけど、吉良先生って、やっぱり言語って、すごい関心があるということですよね。言語化、あるいは陰陽師とかにも出ていましたけど、呪の話だとか、そういう。何かそういう共同的にかけられている言葉だとか、文化的な言葉というか。何か宗教の問題、ユタの問題とかやられたりして、そういうものに関心があるのかなと思って聞いているんですけど。言語もちょっと我々の世界とはちょっと違う言語みたいな。

【吉良】　今の前半の話、宗教の話はちょっと別にしておいて。

【高松】　はい。二つごっちゃになりました。

（5）言葉について

【吉良】　言葉というのがすごく不思議なんですよ。僕がとてもはっきり体験したことがあるのがね、学生相談学会の懇親会に出ていたのよ。広島修道大であったときに。何だっけ、もうすぐなくなるっていう有名なところ。アンデルセン。うん。アンデルセンのホールで懇親会をしてたんよ。でね、それがね、皆さん何か集まって、わいわい楽しそうに話しているんだけど、僕に話しかけてくる人が誰もおらんのんよ。

知った顔はぽつぽつ見える——知らん人がほとんどなんだけど、知った顔がぽつぽつ見える。だけどあんまり話しかけられないし、こっちも何かあんまりその輪の中に入るような気分でもなかったんよね。何か変な感じがずっとしとったのよ。

それがねえ、えっとね、この変な感じっていうのは一体何だろうと思って。それがねえ、あっ、寂しいんだなと思ったんよね。そのね、「寂しい」という言葉にすると、それまで変な感じで感じていた自分が、自分の体験が自分にとても納得がいくというか、しっくりくるというか、分かりやすいわけですよ。それで、あ、これは寂しいんだと思って、「じゃあ帰ろう」と思って、帰ったのね。

そういうのがあってね、そのときに非常にはっきり思ったんだけど、自分の中で起こっている変な感じっていう状態と、それを「寂しい」という言葉にしたときの自分の落ち着き具合。その違いよ。言葉にする、意味になる、まあジェンドリンっぽい話なんだけど、言葉にすることで意味になるということで、心の状態が変わるわけですよ。だけど言葉って、自分の口の動きでしょう。「さ・み・し・い」っていう。そういう言葉にすることで体験が変わるわけですよ。これがすごく不思議なんですよ。

これ、日本語だけの話でしょう。英語を使う人だったら、別の言葉でそれを言うわけでしょう。なおかつ言葉っていうのは、僕だけが分かるわけではなくて、「寂しい」っていう言葉で言えば、他の人にも伝わるわけよ。そういう共通性、社会性を持っているわけよね。

社会性を持っているから、言葉って言われるわけだし、なおかつ口を動かして「寂しい」という言葉になるということで、何で心の体験が変わるんだろうっていう。それが非常に不思議で。

僕らのカウンセリングの仕事、僕らがやっている仕事の８割、９割は、それに頼っとるわけよ。僕らの仕事のほとんどは。ほとんどがこれに頼って自分が30年間仕事をしているのに、その意味が分からんのんよ。何でだろうっていう。

いや、本当そうですよ。カウンセリングの仕事って、ほとんどそれですよ。だから難し気な意味論とかの議論に入っていかないと、一番基本のところが分からんのですよね、この仕事の。こんなの、わけわからんかね。どうですかね。

【高松】　ちょっといいですか。ちょっと似た経験があってですね。

私が精神科に勤めているときに、患者さんが亡くなって、自殺だったんですよ、海に入って。そのことがすごく気になって。デイケアを担当していたので、あのときの対応がよくなかったんじゃないかとか、こうしたらよかったんじゃないかみたいな考えを繰り返しているうちに、気持ちがどんどんどんどん落ちていったんですよ。それが９か月ぐらい落ちていって、だんだん鬱っぽくなっちゃって、どうにもならない。そのときに、よく知っているカウンセラーに「こんなことがあってね」って、東京に行った時に話したら、「ああ、寂しかったんだ」って言われたんですよ。「寂しかったんだ」って言われた途端に腑に落ちたんですね。今までいろんなこと言ってきたけど、結局、寂しかったんだって、その人が亡くなって。その言葉をもらった途端に、二、三日後には、もうある意味で回復しちゃったんですね。

こんな感じで回復するんだっていうのはすごいびっくりしたし、腑に落ちるってすごいなって思ったんですよ。寂しかったんだなあって。似た話なんですけど。「寂しい」って言われた途端に、何かが変わっちゃったんですね。寂しかった、そうだったんだって。思ってなかった、それまで。常識では当然思えばいいのに、思えないものが、思えなかったものが、人から言われることで変わったっていうのもあってですね。そういう言葉って面白いですよね。

【吉良】　いや、とても似ているというか、同じ体験じゃないかな。うん。

【高松】　そんなのないですか、何か。

【福盛】　また別の連想ですけど、コロナ禍って本当に大変だなって思っていて。コロナ禍でなければ誰かに話をすることによって、それが苦しいとか言葉にできるけど、なかなか一人で感じに対して言葉にしていくというか…立ち止まらないといけない話ですよ、全部ね。

【吉良】　そうだね。

【福盛】　今は電話相談がほとんどになっていますが――電話相談では相手が言った言葉をそのままちゃんと丁寧に伝え返しすることが多くなっていますが、伝え返すと「そうです」となりながら、沈黙となります。表現するだけじゃ駄目で、何か表現した後に、立ち止まって何か、「あ、寂しいんだ」とか何か確認する作業がセットになっているのが大事なんだなとあらためて思います。クライエントさんは気持ちを表現して語っているけど、言葉と気持ちをちょっと重ね合わせて「ああ」って腑に落ちる体験があるのとないのではずいぶん違うのではないか。ただ言語化するっていう話ではないなと思います。丁寧にリフレクションするってすごく大事だなということが多いです。

【高松】　こうやって集まるの、すごい久しぶりじゃないですか。しかも、治療論みたいなことを話すなんてのはすごく珍しいことです。これまで、ケースのことばっかり話していますよね。(笑) だけど、我々がどうなのかという話を、改めて対面でできて、面白いなと思いますね。新鮮な感じがする。

どうぞどうぞ、何でも思ったことをおっしゃってください。

【船津】　繰り返しかもしれないんですけど、言葉にするときに、例えば、学生が来て、その人に何が起きて、何で調子が悪くなっているのかとか、割と客観的には自明のことだったりして、本人も何となく表面的には分かっているけど、「あなたはとてもつらかったんだね、今こんな気持ちなんだね」みたいなのが、その人の腑に落ちるためには、やっぱりちゃんと聞かないといけなくて。先生がさっきおっしゃっていた「隣にいる感じ」というか、一緒にその感覚を探しながら、表面的な言葉じゃなくて、「あ、この人はこうなんだな」って私が分かってから言葉にしたことじゃないと、何かその人に入らないというか。

【吉良】　それは伝わらんわね。

【船津】　だから、ありていに言えば共感とかなのかもしれないんですけど、何かその作業を一緒にするということが、ちゃんと聞いて、こうかなと思って言葉にするというのがすごく大事なんだろうなというのを思いました。

私は、一番最初に学部のときの授業で、私たちの仕事は「共にあること」であるというのを教わったのを印象的に覚えていて、それがさっき吉良先生がおっしゃった「隣にいる」ということと同じなのかなというのを思いました。

【吉良】　だから、こちらのほうが話を聞いていて、「あ、こういうことなんだ」というふうに納得する感じがあって、それを言葉にすることで、本人のほうも、それが入ってくる言葉になるというのか、さっきの高松さんの言われたのなんて、「あ、寂しいんだね」というふうに言われた人というのは、高松さんの言葉を聞いて、自分の中でそれを追体験しているわけですよね。それでその言葉が出てきて。で、やっぱりクライエントの側よりも、今の場合だったら、高松さんの側よりかは、それを聞いている側のほうが言葉が浮かびやすいんですよ。自分の中ではなかなか言葉が見つからない。それが、聞いている側というのは、もうちょっと言葉にできる準備が整いやすいというのかな。ということなんじゃないかなと思うんですけどね。

【高松】　あと五、六分ですね。

このテーマについて、もうちょっと何か言いたいことがあったら言ってもらって、それがなければ、ちょっと感想みたいなことを言って、終わりにしたいと思いますけど。このテーマについて、何かもうちょっとありますか。いいですか。

じゃあ、いろいろと話をして、本当はもうちょっと聞きたいこと、聞きたいことがあったら、今から言ってもいいですよ。ちょっと感想、プラス聞きたいことあったら、どうぞまたプラスして聞いてもらっていいんですけど。今日のやってみた感想をちょっと言ってもらいたいなと。回していいですか。

【松下】　ちょっと緊張する。

【高松】　すみません。感想でも質問でも。

【松下】　私は学生だったから、最初、先生にお会いしたときは。

【吉良】　そうだね、最初はね。

【松下】　大学院生で、吉良研で1年間お世話になったときもあったし。私の中では、濱野先生と吉良先生は何かちょっと違ったんですよね。それは私の問題かもしれないんだけど、濱野先生って、個性が前面に出ているというか。吉良先生はそれに比べると、ちょっと分かりにくかったり、あんまり自分を出されないから、何を考えているのかわかりにくかったですね。私が発表したりしても、理解されてなさそうだなとか、よく感じた気がするんですよ。(笑)

それで、先生は遠い存在のような気がしていたんですけども、ここの職に就いてからか、ユタの話とか聞いたり、フランス人の歌手が好きとか聞いたりしていくうちに、あら、何か先生、ちょっと思っていたのと違うなって感じるようになったんですよね。

で、今日私が話をお聞きして思ったのは、先生は自分が前面に出て対象になるっていうのをあまりしないと言われていたので、それが影響しているのかなって思ったのが一つ。もう一つは、安易に理解しないっていうか、本当に丁寧に「え、どういうことなのかな」って聴いてくれているからこそ、分からなさそうな感じだったのかなって。

【吉良】　いや、分からんかったかもしれんけど（笑)。

（6）吉良先生に聞きたいこと

【松下】　最後に質問ですが、先生は大学院で院生さんを教えてこられたと思うんですけど、そういう経験が先生にとってどういうものだったのかなというのは、ちょっと聞きたくて。卒業生ができ上がった本を読まれるかもしれないから。

【吉良】　ああ、なるほどね。うん、そうやね。

その質問のほうからで言うと、大学院を担当するまでというのは、僕は臨床について誰かに何か、自分が考えたり思ったりすることを伝える機会というのがあんまりなかった。そのことに残念な感じがずっとあったんですね。だから大学院生と接するようになってから最初の10年間ぐらいかな、すごく夢を見ていたね。院生のね、うん。それはあったけど、10年ぐらいたったらだんだん慣れて薄れてしまった（笑）。うん。でも、最初は本当そんな感じだったですね。だから非常に刺激的だったね。クライエントと学生、同じ学生さんだけど、全然違う体験ですね。そういう感じはしますね。

それと、今、言われた前半のほうね、思い当たるところがある。品川でセラピストフォーカシングをやっているグループがあって、何度か遊びに行って、僕も聞き役とかをしたりとかして。村里（忠之）さんっていう人がいるんだけど、彼がやる聞き役のやり方と僕のやり方が全然違うんだって。「村里さんだったらここで何かしゃべってくれるのに、あなたはここで黙る」とかだいぶ言われたことがある。だから、やっぱりそういう傾向はかなりあるんじゃないかな。濱野さんと比べてどうかっていうのは、よう分からんけれども、それは確かにあるんじゃないかなと思いますね。それは、でも個性やからね。と思いました。はい。

【高松】　はい、どうぞ。

【小田】　私にとっての吉良先生の印象は、九大の学生相談の先生という、やっぱりもうそのイメージが非常に強くて、先生はきっとずっと臨床をしていたい、研究をしていたいという方だろうというふうに思っています。あと、書籍の中のこれからのお話の中で、後進の指導もされたいということだし、研究もされたいということで、基本はそれが先生の幹となっておられるんだなというのを、改めて感じました。

後半というか、多分教授になられてからは、偉くなられたというのもあって、管理、部門長をやったりとか、そういう業務も入ってきて、もしかしたらそれは先生にはあまりなじまないようなお仕事だったのかもしれないですけど、ほかの部門の先生のお話とかも聞くと、先生がいたからこそすごくバランスが取れていたし、いらっしゃらなかったらとんでもないところに行っていたような組織の動きもあったのかなというふうに想像して。

それは、学生として先生と接する中では感じられなくて、こうやって一緒の職場で仕事をすることで、先生のそういうバランスのすごさみたいなものを感じられたなという印象があります。

それで、すごくお疲れになったというのは、多分そのとおりで、また臨床とか研究のほうにかなり注力できるような状態になっていったら、また一層すごく、まだまだ御活躍されるんじゃないかなというふうに感じました。

それで質問ですが、長らく九大の学生相談というものでお仕事をされてきて、多分ほかの大学の先生とかとも研究をされたりとか、実践上でいろいろお話をされてきたと思いますが、九大の学生相談の特徴みたいなものを先生なりに感じてきっとおられると思うので、できればそういった話を聞いてみたいなという、質問というか、そうですね、はい。ぜひ教えてもらいたいです。

【吉良】　うん、そうやね。そうだよね。うん。いや、何か言えるといいと思う。

【小田】　何か今までの論文とかだったら、教育、九大の学生相談だと、教員職で学生に教育も提供してきたとか、そういうことが論文とかには書かれていましたけど、そういったことでもいいですし。

【吉良】　うん、まあね。

【高松】　書きますか、今から（笑）。後書きでもどれでもいいんですけど。

【吉良】　それ、すごい大事なことやと思うんだけど。他の大学の学生相談というと、東北大でしょう、東大でしょう、名古屋、それから京都、広島、九大とか、僕が知っているところといったらそういうところだけれども、どうなんだろうな。やっぱり九大は、齋藤（憲司）先生の言われる厚生補導、大学教育、心理臨床という学生相談の３つのモデルの、何かバランスが取れているなという感じはするね。東北大が一番近い感じがしているんですけどね。東北大に比べても、教員と組織的に連携して仕事をやっているのは、九大の特徴かなと思いますね。東北大も教員の方々とたくさん交流して一緒に仕事をしていれけれども、九大は各学部に学生相談教員という人がいて、その人たちも組み込んだ組織を一緒につくっているよね。そういうのはほかの大学にはあんまりないんじゃないかなと思うしね。だから、こういう、今も「地区別連絡会議」（学生相談教員とキャンパスライフ・健康支援センタースタッフの少人数の会議）とか、ああいうのっていうのは多分ほかはやってないんじゃないかな、恐らくね。そういったところは特徴かなと思いますね。

ただ、やっぱり共通しているのは、さっきの組織論は、どこも苦労している。もうそれはね、この国で学生相談というのをやろうとしたら。大学という組織の中に学生相談の置き場所がないんですよ。「学生相談は要りますよね。カウンセラーは必要だし大事」って大学の教職員の誰もが言うけれども、じゃあそれをどこに置くの、どういう形で置くのってなると、難しいんですよ。だからもう、アメリカみたいに、教員ではなくて、もう全く全然別のものになってしまえとかいう発想もあるけれどもね。そうなってきたら僕らにとってどうなのか、とかもあるし。本当に難しい。それはどの大学の学生相談も共通していますね。だからその分は情報交換とかね、とても多かったですね。これから皆さんがそれをぜひ言っていただいたらと思いますけど。はい。何かそういうことで。

【高松】　時間、大丈夫ですか。急ぐ方いたら抜けていただいて。もうちょっとだけ続けたいですが、大丈夫？

【船津】　大丈夫です。

【高松】　私はもう大分何か言いたいことは言ったので。そうですね、やっぱりいろんな人がいる組織はいいですね。さっき一人でやってきたって言いましたけど、やっぱり仲間がいないところでやっていて、ここに来たら、最初はいろいろびっくりすることもたくさんあり、何でこんなに会議が多いんだとか、ぶーぶー文句言っていましたけど。会議をやたら遠隔でいっぱいやっていると、だんだん皆さんの人となりが分かってきて、いい感じだなと思っています。で、吉良先生も組織全体を見ていますよねって、いつも思って、偉いなあって変な言い方ですけど、すごいなと思って。腹立つこともあるんでしょうけど、あんまりそれも出さず、きちんと全体を見渡していますよね。きっとそれが疲れたんだろうと思うんですけど。組織をつくってこられたというのは、すごいなと尊敬しています。

あと、今日、聞きたかったが聞けてよかったです。カウンセラーとしてどんなことを重視してやっているのかって、聞きたかったけど、意外と聞く機会がなくて。

【吉良】　そうやね。そういう話、しないね。

【高松】　そういうことが聞けたのは、とてもよかったなっていうのが今日の感想です。

【吉良】　ありがとうございます。

【高松】　私はそんな感じで。どうぞ。

【舩津】　私は入ったときが既にこの形だったので、九大はカウンセラーの尊敬できる先輩たちが５人もいらっしゃって、ドクターもいて、こんなに上手に連携できる、すごく恵まれた環境だなと最初思ったんですけど、後からそれにすごい御苦労があったっていう、先生方のおかげだったというのが、だんだん分かってきて。さっき私、ロールシャッハが取れないとか言いましたけど、本当に恵まれた環境でお仕事させていただけるのは、すごいことだなと思っています。自分で考えて、自分で作っていくことができるっていうのも、そのために研究しないといけないんですけど、本当に贅沢な環境だなと思っています。あとは、吉良先生に、この職場に入ってから、よくケースのこととかで御相談をしていて。先生に御相談するときは、きっと一緒に考えてくださる安心感というか、ただ報告するだけのことであっても、吉良先生に聞いていただける安心感というか。いろんな大変なケースがあっても、孤独感がないというか、ちゃんと抱えていこうと思えるような環境で臨床ができるのは、本当に幸せだなと思っています。

【吉良】　やっぱりね、いろんな職場のカウンセラーの話を聞いていて思うけど、職場環境がものすごく大事なんですよ。さっき言われたみたいに、特に孤独感っていうかね。こんなふうに学生相談って、大学の中では居場所がないような、置き場所がないような、そういう中で僕らはこうやって集まってやっているわけでしょう。やっぱりこの中で、ここが安心できる場じゃなかったら、クライエントに使うエネルギーは出てこないよね。そういう意味でのつらい話をよく聞くんですよね。だから本当は個人としてではなくて、組織としてそういうのはぜひ大事に、今からもしていただきたいな、と思いますけどね。と思いました。はい。

【高松】　福盛先生、どうぞ。

【福盛】　はい。これまでもいろいろお話させていただいたこととか、今日の話とかおうかがいして、先生のテーマって、参与しながらの観察というか、俯瞰しながら深めていくとか、その両方をバランスよく、有機的にというか、一つのものとして考えておられるのかなという感じがしました。

もう一つの感想は、先生とは組織改変の時などに一緒に提案書とかつくったりしましたが、先生の文章って、あんまり正直言ってわくわくするものはあんまりない（笑）。ネガティブな意味ではなく、絶対直すところもほとんどなくて、誤字脱字もなければ、字の乱れもないし、そのままで完成品が出てきてビックリしました。先生の中では、エッジの中を生きるっておっしゃっているけど、言語化されるときは、エッジの部分を書かなくて、やっぱり光がすごい当たっているところをきちんと丁寧に書かれているんだなっていうイメージが僕にはありました。僕はすぐあいまいなエッジの部分を表現しようとして、言葉が乱れるんですけど…。

最後に、九大の学生相談室はこれからもずっと続いていくんですけれど、何かこうなったらいいなとか、この辺りが将来的にできたらいいなっていうのがあれば、ぜひ先生にいろいろ聞かせていただけたらうれしいなと思います。

【吉良】　そうね、そうやね。人数の確保はぜひ（笑）。ぜひだし、もっと増えるといいと思うけど、こうなればいいなというよりも、考えんといけんことがあるだろうなと思って。一つは個別相談中心でいいのかどうかというのがありますよね。こういう大学の状況とか学生の状況を見たときに、九大の学生って1万9,000人ぐらいいるんですよ。

でもカウンセラーって、たったこれだけしかいないわけですよ。で、そういう中で、個別のカウンセリングがメインで、そういうのを好きな人もいっぱいいるわけだけど、カウンセラーのほうにね、それを楽しんどるような状況だろうか、みたいなところはあるんですよね。もちろんこちらがやれることとか、やりたいことっていうのは、一方でとても大事だけども、もう一方で、何が今必要になっているかというのを見て、その折り合いですよね。それをどう見つけていくかというのは、とても大事だろうなと思うんですよね。だからそういう意味では、どんどん変わらざるを得ないというかね、やるべきことを見つけていかないといけないって思いますね。そう考えると、やっぱり学生の声も聞いたほうがいいし、教員とか職員の声も聞いたほうがいいと思うしね。執行部の言うことも聞かざるを得んというところもあるしね。

でね、特に僕らが見えにくいのは、職員の方たち。職員の人は、僕らと同じ環境に住んでいるけれども、全然別のトレーニングを受けて、全然別の専門家になっていっているわけですよ。係長とか課長クラスになったら、もう徹底してトレーニングを受けているわけですよ。見ないといけないこととかね、これをしたらいけないこととかね、そういうのを教え込まれているわけですよ。で、そういう人たちの発想をこっちが見ていかないと、やっぱうまく行かんなと思いますね。

僕らから見たら、例えば「現場を見ないじゃないか」って思うような偉い方たちがいるけれども、一番トップの方とかにお会いして見ていると、現場を見たらいけないというのもあるんだなあと思った。現場を見たら、切れなくなる。書類だけ見て、「これ、要らんでしょう」っていうのが、彼らの仕事なんですよ。そういうトレーニングを受けた専門家の人もいっぱいいるわけですよ。何かそういったことを分かっとかないとね、こっちが駄々をこねているみたいになるもんね。とか思います。はい。

【高松】　吉良先生、何か全体の感想を。

【吉良】　そう言われると難しいけど、本当に今日はどうもありがとうございました。ふだんあんまりお互いに口にしないことをね、いろいろ話ができて面白かったですね。本当はこういうのが、退職のときにやるだけではなく、時々あるといいんでしょうね。

【高松】　もっとやったらいいですね。

【吉良】　なかなかこういうことをやり取りするような余裕のある時間というのがね、お互いにはないかも分からんですけど、でも、新しい発想が、やり取りしているうちに生まれるということもあるし、知らなかったそれぞれの人がどんなことを考えているかとかいうこともシェアするということで、よかったんじゃないでしょうか。だけど、これは文字化するのは恐ろしい話だなと（笑）。

【高松】　どこが使えて、どこが使えないかって。

【吉良】　この場自体が楽しかったです。どうもありがとうございました。

【高松】　どうもありがとうございました。では、これで終わりにしたいと思います。先生、どうもありがとうございました。

【吉良】　お疲れさまでした。ありがとうございます。（拍手）

―― 了 ――

おわりに

私が学生相談カウンセラーとして九州大学に勤務するようになって、いつの間にか30年が経った。そしてこの３月で定年退職である。今のフェルトセンスを感じてみると、ほっとするような、寂しいような、いろんな淡い色合いが混じり合った微妙なニュアンスがある。からだの実体感が薄れて宙に浮き出しそうな、やや心許ない感覚である。

それと同時に、これから先の未知の生活に向かって、次の一歩へと進んでいこうとしている感覚もある。これまでも何度か、未知のものに向き合っていると感じた時期があったが、今もまたそれを実感している。１年後の自分はどんな生活をしていて、どんなことを考えているのだろうかと思う。このようにして、また、よく見えない先に向かっているのだなあと感じている。

＊　＊　＊　＊　＊

この30年間、私の仕事はほとんど変わらず学生相談カウンセラーとしての業務であったのだが、大学のなかでの所属組織はあれこれと変わっていった。そればかりでなく、勤務する場所も変転していった。私の勤めた期間、九州大学では組織改革とキャンパス移転とが同時並行で進んでいった。私は着任したときは教養部所属だったので、はじめは六本松キャンパスに勤めた。その後、改組が進んでいくなかで六本松を離れ、伊都キャンパスのセンターゾーン１号館に移った。その時期、箱崎キャンパスの五十周年記念講堂でも並行して業務を行なった。キャンパスライフ・健康支援センターが開設されてからは、箱崎キャンパスでは旧健康科学センター箱崎分室の建物で仕事をした。そしてようやく、現在の伊都センターゾーンのビッグさんどの建物に引っ越したのは、2018年の夏であった。

六本松キャンパスや箱崎キャンパスは、すでに姿を消してしまった。現在、六本松跡地は大規模商業施設や九大法科大学院、裁判所などが入る地区となっており、箱崎跡地は更地である。私が日々を過ごした場所が跡形もなくなり、人々の記憶からも消えつつある。現在の九大生はそれらのキャンパスで生活した経験を持たない人たちが大部分である。いずれ、六本松や箱崎での学生生活を知っている者同士で昔話を語り合うことになるのだろう。

しかし私は、現在の伊都キャンパスから見える伊都の土地も好きである。背振山系を背景にして平野が広がっており、古代からの歴史がある。現在のキャンパスに移転してから、私はこの土地を眺めたり、散策したりすることが増えた。高祖山を挟んで隣り合う福岡市街とは空気が異なる。福岡市から日向峠を越えて伊都に入ると、タイムスリップしたような感覚を覚える。何か不思議なところである。これからも伊都の地を歩き回ることは度々あると思う。

＊　＊　＊　＊　＊

このような区切りの時期に、これまで一緒に学生相談の仕事をしてきた同僚の人たちで書籍を作りたいと考えた。皆で原稿を持ち寄って一冊の本を作ったら楽しいだろうし、記念になると思った。それを同僚の方々に提案して同意していただき、話を進めていくなかで、高松先生が編集を手伝いましょうと言ってくださった。それでお願いして、私と高松先生の２人の編著とすることになった。

今年度、コロナ禍のなか、九州大学において2020年５月16日～18日に日本学生相談学会第38回大会をオンラインで開催した。私はその準備委員長を務めさせていただいたのだが、そのときのパネルディスカッション（紙面開催）の記録も本書に掲載させていただけることになった。掲載に同意してくださった４名のパネリストの先生方に、心よりお礼を申し上げたい。

出版にあたっては、商業ベースに乗せることはあまり考えずに、半ば私家本的に作りたいと考えた。そのような意向を花書院さんにご相談したところ、快く請け負ってくださり、自由な内容での自由な書籍作りを楽しませていただくことになった。

＊　＊　＊　＊　＊

九州大学では、相談を受けるかたちでさまざまな学生と出会い、彼らと語り合って長い時間を過ごしてきた。それぞれの学生の体験していること、感じていることや考えていることを聞かせてもらい、こちらがそれについて思うことを伝え、やりとりするなかで、各人の心の様相やそれが変化していく過程を共に経験してきた。新しい来談学生と出会えば、新しい心の様相を目にすることになる。決して飽きることのない貴重な経験を日々重ねてきたように思う。

来談学生以外の多くの方々にもお世話になった。私どもカウンセラーが行っている学生相談という仕事は、周囲の教員や職員、学生の親や家族、そして友人など、学生を取り巻くさまざまな人たちとの連携によって成り立っている。その全体で行うのが学生支援であり、学生相談はその一部である。さまざまな事例を担当するなかで、いろんな方と知り合い、連絡を取り合い、学生に対して何ができるかを話し合ってきた。来談学生をめぐって連携する過程で、多くの関係者のなまの声を聞かせていただいたことも、とても勉強になった。

キャンパスライフ・健康支援センターにおいては、学生相談カウンセリング部門に所属する同僚のカウンセラー教員や非常勤カウンセラーの方々、そして健康科学部門、インクルージョン支援推進部門、健康開発・情報支援部門、総合相談支援部門の先生方やスタッフの方々にお世話になった。専門性はそれぞれ異なるけれども組織として一体となり、九州大学という巨大な教育機関を支える機能の一端を担う存在として努力してきたと自負している。

学生相談カウンセリング部門では、質的にも量的にもかなりハードな仕事をカウンセラー各人が担当しているなか、困ったときにはお互いに相談できるような人間関係を築いてこれたことをありがたく思う。カウンセラーにとって、所属する場に安全感を持てることは、安定した仕事を続けるためにとても重要な要素である。私自身も職場のそのような人間関係に支えられてこれまでやってくることができたと感じている。心よりお礼を申し上げたい。

＊　＊　＊　＊　＊

さらに、私には九州大学内にもう一つ所属組織がある。大学院人間環境学府である。そちらでは、臨床心理学を学ぶ大学院生たちの教育指導が主な仕事である。大学院人間環境学研究科（当時）が開設された1998年４月からなので、23年間所属したことになる。そこは学生相談の場とは別空間であり、臨床心理学を専門とする教員の方々とともに、大学院生を指導してきた。とは言っても、学生相談の仕事にかなりの時間と労力を費やすため、そちらに割けるエネルギーはそれほど多くはなかった。担当した大学院生の皆さんに対しては、いささか申し訳ない気持ちも残っている。しかし私にとっては、自分と同じ臨床心理学を志す後輩にあたる人たちに教員としてメッセージを伝える機会であり、学生相談での来談学生との出会いとは全く異なる、貴重な機会であった。ありがたい場をいただいたことに感謝したい。

＊　＊　＊　＊　＊

以上のような職業生活を過ごしてきたが、今年度末をもってそこから離れることになる。私にとってはなかなかハードに感じられる生活であったが、妻や息子たちとの家庭生活に支えられて、これまでやってくることができた。息子たちはすでに独立したが、それぞれ良きパートナーを得て暖かい家庭を築いている。幸いなことに、妻も息子たちもそれぞれ、やりたいこと、やれることを見つけて楽しく生活しているようだ。私も負けずに自分の世界を新たに見つけていきたいと思う。今後も量は減らしながらだが、カウンセリングの仕事や後輩への学習機会の提供などを行なっていきたいと考えている。

末尾になったが、本書を作っていくうえで、共同編著者の高松里先生、および花書院の中村直樹氏には大変お世話になっている。なんとか「おわりに」を書くところまで漕ぎ着けることができた。高松先生には私のぼんやりした構想を具体的な形にしていくうえでのアドバイスをたくさんいただくとともに、編集作業を行なってもらっている。中村氏には、計画変更や原稿作成の遅れに我慢しておつきあいしてもらいつつ、書籍のレイアウトなども考えていただいている。深くお礼を申し上げたい。

2021年１月

吉良　安之

― 著者紹介 ―

<編　者>

●吉良　安之（きら・やすゆき）

九州大学キャンパスライフ・健康支援センター教授。臨床心理士・公認心理師・大学カウンセラー。1991年より九州大学にて学生相談の仕事を行なってきたが、2021年３月で定年退職の予定。その後の生活や仕事については未知数のことが多いが、心理臨床の仕事や後輩への教育機会の提供は続けていければ、と考えている。著書：『主体感覚とその賦活化』（九州大学出版会, 2002年）、『セラピスト・フォーカシング』（岩崎学術出版社, 2010年）、『カウンセリング実践の土台づくり』（岩崎学術出版社, 2015年）など。日々ギターの練習に打ち込んでいる。なかなか上達しないが、練習中の気分は上々。

●高松　里（たかまつ・さとし）

九州大学留学生センター准教授。臨床心理士・公認心理師。1989年より留学生を対象としたカウンセリングや授業を行っている。人生上の大きな出来事（災害、病気、障がい、死別、異文化経験等）をどう言語化するかに関心を持っている（「経験の言語化」プロジェクト）。著書は『改訂増補セルフヘルプ・グループとサポート・グループ実施ガイド』（金剛出版, 2021年）、『ライフストーリー・レビュー入門』（創元社, 2015年）など。毎年スペイン巡礼道を歩いていたが、コロナで行けなくなり、今は四国遍路をしてすっかり抹香臭くなっている。

<第２部および第４部>

●松下　智子（まつした・ともこ）

九州大学キャンパスライフ・健康支援センター准教授。臨床心理士・公認心理師。病院勤務等を経て、2011年10月より現職。これまで、経験の意味づけ方（ナラティブ・アプローチ）に関する研究、失体感症に関する研究、イメージ療法・アートセラピーの実践、大学生のストレス対処やセルフケアに関する教材開発を行ってきた。2021年は、風の谷のナウシカ全巻を読んで、King Gnu、藤井風、モーツァルトを聴くことから始まった。

●小田　真二（おだ・しんじ）

九州大学キャンパスライフ・健康支援センター講師。臨床心理士・公認心理師・大学カウンセラー。博士（心理学）。出身は鹿児島県。2009年３月、九州大学大学院人間環境学府人間共生システム専攻心理臨床学コース博士課程単位修得退学。医療・福祉・教育の領域で非常勤カウンセラーとして勤務したのち、2013年４月より九州大学人間環境学研究院学術研究員、2014年１月より九州大学基幹教育院助教、その後現職へと至る。専門は学生相談で、個別相談に加えて、他大学出身の大学院入学者向けの支援などグループアプローチをマネジメントしている。学生相談データの管理も担当しており、目下の課題はその知見の論文化であり、学生相談カウンセラーの頑張りをなんとか明示したい！趣味は釣り。今年はヒラメを釣りたい。

●船津　文香（ふなつ・ふみか）

九州大学キャンパスライフ・健康支援センター講師。臨床心理士・公認心理師。博士（心理学）。医療および教育領域での臨床を経て、2014年10月より九州大学人間環境学研究院学術研究員、2016年４月より現職。専門はアセスメントでロールシャッハ法と青年期心性に関する研究を始めとする投影法の研究に携わってきた。現職からは学生相談においてライフスキルを獲得するためのグループに挑戦中。我が家の小さき者たちのお腹を満たすことに奮闘しつつ、成長を見守ることに至福を見出す日々。

●福盛　英明（ふくもり・ひであき）

九州大学キャンパスライフ・健康支援センター准教授。臨床心理士・公認心理師。日本学生相談学会認定大学カウンセラー。福岡県北九州市出身。1998年より、九州大学健康科学センター講師、2001年に准教授、その後組織改編などにより、現在は九州大学キャンパスライフ・健康支援センター学生相談部門准教授、学生相談室カウンセラーとして勤務している。これまで、フォーカシングの研究、学生相談機関の評価研究、大学生の Quality of Student Life の研究などを行ってきた。著書は『マンガで学ぶフォーカシング入門』（誠信書房）（共著）などがある。自分の好きなことを振り返ると料理や魚釣りなどに関心があるなど、どうやら「手を使った手ごたえのあること」というのが好きらしいので、老後は陶芸とかミニチュア作りとかキャンピングとかを始めてみようかな、とか考えている。コロナ禍、人生に「遊び」と「知的好奇心」を増やさないと心がもたない、と思ってしまう。

＜第3部＞

●山下　聖（やました・さとる）

立命館アジア太平洋大学　スチューデント・オフィス　専任職員・カウンセラー。臨床心理士、公認心理師。スクールカウンセラー、発達障がい者支援、大学事務職等を経て、2014年より学生相談に携わっている。自身の留学体験を活かし、多文化環境に身を置く学生の力になるために、何ができるかを模索中である。一年中、暇があれば海へ行き、漕ぐことに夢中になっている。

●黄　正国（こう・せいこく）

広島大学保健管理センター講師。臨床心理士、公認心理師。2003年に私費外国人留学生として中国から来日し、大学と大学院で臨床心理学について学んだ。2015年よりカウンセラーとして学生相談の仕事を行っている。自分の留学体験から、生まれ育った地域社会や家庭に特有なカルチャーが個人の心理発達に及ぼす影響や、新しいカルチャーと出会ったときの体験過程に関心を持っている。ここ最近は休日に家で5歳の娘と1歳の息子と遊ぶ時間が増えて、異文化に対する構え方やコミュニケーションの在り方について日々教わっている。

●飯嶋　秀治（いいじま・しゅうじ）

九州大学人間環境学研究院准教授。共生社会システム論。1999年より九州大学人間環境学研究科で宗教人類学と臨床心理学を学ぶ。オーストラリア先住民、日本の児童福祉、ポスト被災地の民俗などをフィールドに「人が危機といかにつきあうのか」を研究してきた。著書（共著）:『アクション別フィールドワーク入門』（世界思想社, 2008年)、『現実に介入しつつ心に関わる』（金剛出版, 2016年)、『自前の思想』（京都大学学術出版会, 2020年）など。日々の公務に追われながら、自分がやるべきことを想い出しては手繰り寄せようと、子守唄を唄っている気分です。

●高石　恭子（たかいし・きょうこ）

甲南大学文学部教授／学生相談室専任カウンセラー、臨床心理士、大学カウンセラー、公認心理師。精神科病院の心理士、母子療育教室のセラピスト等を経て1989年より学生相談に従事。分析心理学に基づく夢や描画などを用いた心理療法に関心をもつとともに、乳幼児期から学生期に至る子どもと親の関係や子育て支援についての研究も行ってきた。著書は、『臨床心理士の子育て相談』（人文書院, 2010年)、『学生相談と発達障害』（共編著, 学苑社, 2010年)、『自我体験とは何か――私が＜私＞に出会うということ』（創元社, 2020年）など。夢は、絶滅危惧種の生き残る太平洋上の島を旅して動物と触れあうこと。

学生相談の広がりと深まり

2021年２月10日　第１刷発行

●編　著　吉良 安之・高松 里
●発行者　仲西佳文
●発行所　有限会社 花 書 院
〒810-0012 福岡市中央区白金2-9-2
電話（092）526-0287　FAX（092）524-4411
ISBN 978-4-86561-212-7 C3011
●振　替　01750－6－35885
●印刷・製本　城島印刷株式会社